11.95

L'ARCHIPEL DU CHIEN

Philippe Claudel est écrivain et réalisateur. Il est notamment l'auteur des *Âmes grises* (prix Renaudot 2003), traduit dans plus de trente pays, de *La Petite Fille de Monsieur Linh* (2005), du *Rapport de Brodeck* (prix Goncourt des lycéens 2007), de *L'Enquête* (2010), de *L'Arbre du pays Toraja* (2016) et d'*Inhumaines* (2017). Il a réalisé quatre films : *Il y a longtemps que je t'aime*, qui a reçu deux César, *Tous les soleils*, *Avant l'hiver* et *Une enfance*.

PHILIPPE CLAUDEL
de l'académie Goncourt

L'Archipel du Chien

ROMAN

STOCK

© Éditions Stock, 2018.
ISBN : 978-2-253-10038-6 – 1re publication LGF

Dites-moi à quelle heure je dois être transporté à bord.
Derniers mots écrits par Arthur RIMBAUD

Sois heureux s'il t'est permis de respirer après une douleur
Et bienheureux si de toute douleur la mort te guérit.
Giacomo LEOPARDI

I

Vous convoitez l'or et répandez la cendre.

Vous souillez la beauté, flétrissez l'innocence.

Partout vous laissez s'écouler de grands torrents de boue. La haine est votre nourriture, l'indifférence votre boussole. Vous êtes créatures du sommeil, endormies toujours, même quand vous vous pensez éveillés. Vous êtes les fruits d'une époque assoupie. Vos émois sont éphémères, papillons vite éclos, aussitôt calcinés par la lumière des jours. Vos mains pétrissent votre vie dans une glaise aride et fade. Vous êtes dévorés par votre solitude. Votre égoïsme vous engraisse. Vous tournez le dos à vos frères et vous perdez votre âme. Votre nature se fermente d'oubli.

Comment les siècles futurs jugeront-ils votre temps ?

L'histoire qu'on va lire est aussi réelle que vous pouvez l'être. Elle se passe ici, comme elle aurait pu se dérouler là. Il serait trop aisé de penser qu'elle a eu lieu ailleurs. Les noms des êtres qui la peuplent ont peu d'importance. On pourrait les changer. Mettre à leur place les vôtres. Vous vous ressemblez tant, sortis du même inaltérable moule.

Je suis certain que vous vous poserez tôt ou tard une question légitime : a-t-il été le témoin de ce qu'il nous raconte ? Je vous réponds : oui, j'en ai été le témoin. Comme vous l'avez été mais vous n'avez pas voulu voir. Vous ne voulez jamais voir. Je suis celui qui vous le rappelle. Je suis le gêneur. Je suis celui à qui rien n'échappe. Je vois tout. Je sais tout. Mais je ne suis rien et j'entends bien le rester. Ni homme ni femme. Je suis la voix, simplement. C'est de l'ombre que je vous dirai l'histoire.

Les faits que je vais raconter ont eu lieu hier. Il y a quelques jours. Il y a un an ou deux. Pas davantage. J'écris « hier » mais il me semble que je devrais dire « aujourd'hui ». Les hommes n'aiment pas l'hier. Les hommes vivent au présent et rêvent de lendemains.

L'histoire se passe sur une île. Une île quelconque. Ni grande ni belle. Guère éloignée du pays dont elle dépend mais qui en est oubliée, et proche d'un autre continent que celui auquel elle appartient, mais qu'elle ignore.

Une île de l'*Archipel du Chien*.

Quand on observe cet archipel sur les cartes, on ne peut de prime abord remarquer le *Chien*. Il se cache. Les enfants peinent à le distinguer. La maîtresse qu'on surnommait déjà la Vieille s'amusait de leurs efforts, puis de leur surprise lorsque avec le bout de sa baguette, elle dessinait les contours de sa gueule. Le *Chien* surgissait soudain. Ils en étaient effrayés. Il en va de lui comme de certains êtres dont on ne devine pas la vraie nature quand on commence à les fréquenter, et qui un jour vous sautent à la gorge.

Le *Chien* est là, dessiné sur le fin papier. Gueule ouverte, crocs sortis. S'apprêtant à déchiqueter une longue et pâle immensité cobalt que la carte constelle de chiffres indiquant les profondeurs et de flèches qui tracent les courants. Ses mâchoires sont deux îles courbées, sa langue aussi, une île, et ses dents aussi, certaines pointues, d'autres massives, carrées, d'autres encore effilées comme des dagues. Ses dents, des îles donc. Dont celle où se déroule l'histoire, la seule habitée, tout au bout de la mâchoire inférieure. Tout au bord de l'immense proie bleue qui ne sait pas qu'elle est convoitée.

La vie sur l'île vient du volcan qui la domine et qui pendant des millénaires a vomi sa lave et ses scories fertiles. On l'appelle le *Brau*. Le nom sonne barbare. Il faisait peur aux petits jadis, quand l'île s'enchantait des cris et des rires des enfants. Désormais le *Brau* digère, après sa dernière colère. Son cratère est enfoui le plus souvent dans un édredon de brumes. Il se livre à une très longue sieste. Quelques rots de temps à autre. Des bruits sourds. Des énervements d'endormi, qui frissonne et se retourne dans son sommeil.

Le reste du squelette du *Chien* est une multitude de petites îles, la plupart minuscules comme des miettes de pain oubliées sur la nappe à la fin d'un repas. Désertes. Tout au contraire, celle qu'on va découvrir s'est martelée du battement du sang des hommes. Elle demeure, comme un bout de monde tombé dans l'azur. Sans doute à l'origine y eut-il un peuplement de pêcheurs, au temps des Phéniciens, descendants des pirates et voleurs échoués là en cabotant, ou se cachant pour compter leur butin.

Il y a des vignes, des oliveraies, des vergers de câpriers. Chaque arpent cultivé témoigne de l'opiniâtreté d'ancêtres qui l'ont arraché au volcan avec patience. Ici on est paysan ou pêcheur. Il n'y a pas d'autres choix. Souvent les jeunes gens ne veulent ni l'un ni l'autre. Ils partent. Les départs ne sont jamais suivis de retours. C'est ainsi et c'est depuis toujours.

Le *Chien* crache des saisons inhumaines. L'été assèche les hommes et les terrasse. L'hiver les transit. Vent aigre et pluie froide. Des mois de langueur grelottante. Leurs maisons ont fait le tour du monde. En photographie. Dans les magazines. Des architectes, des ethnologues, des historiens ont décidé sans rien leur demander qu'elles appartenaient au patrimoine de l'humanité. Cela les a fait rire, avant de les contrarier. Ils ne peuvent ni les détruire ni les transformer.

Ceux qui n'y vivent pas les leur envient. Les sots. En pierre de lave mal jointoyée, elles ressemblent à des huttes massives bâties par un peuple de nains. Elles sont dures avec eux. Inconfortables. Sombres et rugueuses. On y étouffe ou on y gèle. Elles les encerclent et les oppressent. Ils ont fini par leur ressembler.

Le vin de l'île est un rouge lourd et sucré né d'un cépage qui ne pousse qu'ici, le *muroula*. Les baies de ses grappes ressemblent à des yeux de pie : petites, noires, brillantes, dénuées de pruine. Vendangé vers la mi-septembre, le raisin est disposé ensuite sur les murets des vignes et des vergers de câpriers, protégé des oiseaux par de fins filets. Il y sèche durant deux semaines avant d'être pressé, puis on laisse fermenter le jus dans la pénombre de caves étroites et longues, creusées sur les flancs du *Brau*.

Quand plus tard le vin est mis en bouteille, il a pris la couleur d'un sang de taureau. On ne peut voir la lumière à travers lui. Il est fils des ténèbres et du ventre de la terre. Il est le vin des Dieux. Quand on y trempe les lèvres, c'est le soleil et le miel qui viennent dans la bouche et coulent dans la gorge, et aussi le gouffre sans fond de l'envers du monde. Les vieux avaient coutume de dire en le buvant qu'ils tétaient en même temps le sein d'Aphrodite et celui d'Hadès.

II

C'est un lundi matin de septembre, sur la plage, que tout commença. On l'appelle la plage, faute de mieux, même si personne ne peut s'y baigner en raison des écueils et des courants, ni s'y étendre car elle est faite de galets volcaniques, râpeux et blessants.

Chaque jour alors, la Vieille s'y promenait. La Vieille, c'est l'ancienne institutrice. Tous les gens de l'île sont passés dans sa classe. Elle-même connaît toutes les familles. Elle est née ici et elle y mourra. On ne l'a jamais vue sourire. On ne sait guère son âge. Sans doute pas très loin de quatre-vingts ans. Elle avait dû abandonner la classe cinq ans plus tôt, à regret. En ce temps, elle faisait sa promenade chaque matin, aux premières heures du jour, avec son chien, un bâtard aux yeux mélancoliques, qui n'aimait rien tant que courir après les mouettes.

Elle était toujours seule sur la plage. Pour rien au monde et par aucun temps elle ne renonçait à cette marche en lisière de mer, dans cet endroit désolé qu'on dirait arraché à un pays du nord, de Scandinavie ou d'Islande, et jeté là comme pour faire mal à l'âme.

Ce jour-là, le chien courait autour d'elle comme à son habitude. Il sautait en l'air vers les grands oiseaux qui le narguaient. Le temps était à la pluie. Fine encore, légère et froide, et la mer poussait des vagues mauvaises, courtes mais tendues qui se broyaient sur la grève en une écume sale.

Soudain le chien s'arrêta, aboya, et se lança dans une course folle qui l'amena un peu plus loin, à une cinquantaine de mètres, vers trois formes longues que la houle avait jetées sur le rivage mais qu'elle ballottait encore un peu, comme si elle avait de la peine à les abandonner tout à fait. Le chien les huma, se tourna vers la Vieille et lança une très longue plainte.

Au même instant, deux hommes aperçurent aussi les formes sur la grève : Amérique, un célibataire un peu vigneron, un peu homme à tout faire, qui venait de temps à autre surveiller ce que le courant échouait là, bidons tombés par-dessus bord, planches perdues, filets, cordages, bois flottés. Il vit les formes étranges au loin. Descendit de sa charrette, flatta le flanc de son âne, lui dit ne pas bouger, de rester là, sur le chemin. Et il y eut aussi le Spadon, qu'on appelle ainsi car tout en n'étant pas très malin, c'est sans doute un des plus fins pêcheurs d'espadon de l'île, connaissant les habitudes du grand poisson-épée, les fonds où il gîte, ses humeurs et ses cycles, devinant ses routes et ses ruses.

Ce jour-là les bateaux n'étaient pas sortis. Le temps était trop mauvais. Le Spadon travaillait pour le Maire, qui était le plus important patron de pêche de l'île. Il possédait trois bateaux à moteur et les installations de chambres froides où stocker son poisson et celui des dix autres patrons pêcheurs trop pauvres pour en posséder.

Deux jours plus tôt, alors que tous étaient en mer, un coup de vent avait emporté trois bouées auxquelles étaient fixés des casiers à langoustes que le Spadon avait déposés au large, pour son propre compte, empruntant le bateau une journée pleine et une nuit, avec l'assentiment du Maire.

Ce lundi matin, il était venu sur la plage afin de voir si le courant ne les avait pas poussées là. Ce fut le long cri du chien qui l'alerta. Il marchait à distance de la Vieille, qui ne l'avait pas entendu. Il la vit soudain accélérer le pas et trébucher sur les cailloux, manquer de tomber, se reprendre. Il sentit que quelque chose se passait. Il aperçut Amérique, qui venait de quitter sa carriole et qui allait lui aussi vers le chien.

Tous trois, la Vieille, le Spadon et Amérique parvinrent au même moment près des formes trempées que les vagues animaient. Le chien regarda sa maîtresse, lança encore un petit cri, puis renifla ce que la mer venait de rejeter : trois corps d'hommes noirs, simplement vêtus de tee-shirts et de pantalons de jean, les pieds nus, qui paraissaient dormir, le visage contre la grève.

La Vieille parla la première :

« Qu'est-ce que vous attendez ? Tirez-les ! »

Les deux hommes se regardèrent puis firent ce que la Vieille commandait. Ils ne savaient pas trop comment saisir les cadavres et hésitaient. Ils les prirent finalement sous les bras et les traînèrent à reculons, pour les étendre côte à côte sur les cailloux sombres.

« Vous ne pouvez pas les laisser comme ça ! Retournez-les. »

Là encore ils hésitèrent mais finirent par faire basculer les corps sur le flanc et soudain le visage des morts apparut.

Ils n'avaient pas vingt ans. Leurs paupières étaient closes. Ils semblaient dormir d'un sommeil dur qui avait tordu leurs lèvres et marbré leur peau de grands aplats violets, leur donnant une physionomie fermée qui ressemblait à un reproche.

La Vieille, Amérique et le Spadon se signèrent en même temps. Le chien aboya. Trois fois. On entendit de nouveau la voix de la Vieille :

« Amérique, as-tu une bâche dans ta carriole ? »

Amérique acquiesça. Il s'éloigna.

« Toi le Spadon, va prévenir le Maire. Ne parle à personne d'autre. Reviens avec lui. Ne traîne pas. »

Le Spadon ne discuta pas et partit en courant. La mort lui avait toujours fait peur. On entendit la rumeur de la mer après le coup de vent qui dans la nuit avait balayé l'île et qu'on avait senti jusque dans les maisons parce qu'il avait lancé son crachat salé sous les portes, entre les pierres disjointes et dans les cheminées. On avait mal dormi d'ailleurs, se retournant sans cesse dans le lit, se levant pour pisser ou boire un verre d'eau.

La Vieille et le chien restèrent près des corps. C'était comme un tableau de musée, édifiant, mais dont on se demandait quelle morale il pouvait bien illustrer : la mer infinie, trois corps d'hommes noirs et jeunes, une vieille femme et un chien, debout à leurs côtés. On sentait bien que cela devait vouloir dire quelque chose, mais on n'aurait pas trouvé quoi.

Amérique revint avec une bâche de plastique bleu.

« Couvre-les », lui dit la Vieille.

Les corps disparurent sous le linceul synthétique. Amérique disposa de gros cailloux sur ses bords pour que le vent ne l'emporte pas, mais celui-ci tenta tout de même de s'engouffrer en dessous. Cela fit une musique cassante, froissée, de chapiteau de cirque.

« D'où vous croyez qu'ils viennent, Maîtresse ? »

Amérique, malgré ses quarante ans, ses gros doigts d'homme, sa face crevassée de vieux morceau de savon, retrouva son inquiétude et sa voix d'enfant. Il alluma une cigarette.

« À ton avis ? » dit la Vieille avec brusquerie.

Amérique haussa les épaules, tira une bouffée, attendant qu'on formule pour lui une vérité qu'il n'osait pas prononcer. Mais comme la Vieille se taisait, il murmura, hésitant à la façon d'un élève peu sûr de sa réponse, en désignant du menton le lointain pâle vers le sud.

« De là-bas… ?

— Bien sûr, de là-bas ! Ils ne sont pas tombés du ciel ! Tu n'as jamais été très malin mais tu regardes la télé comme tout le monde, non ? »

III

Le Spadon n'avait pas traîné. Moins d'une demi-heure plus tard, on le vit réapparaître, tournant l'angle du haut rocher qui barre la plage et la dérobe à la vue de la ville et du port. Le Maire le suivait, mais il y avait aussi une autre silhouette, grosse et tassée, celle du Docteur.

La Vieille jura entre ses dents en l'apercevant. Le chien accueillit les nouveaux arrivants en cherchant auprès d'eux des caresses qu'il ne reçut pas.

« Alors c'est quoi ces mystères, ce crétin n'a rien voulu me dire ! »

Le Spadon baissa la tête. Le Maire était énervé. Il était d'une maigreur d'anchois, avec un visage sec et jaune et des cheveux gris. Il avait soixante ans. Comme le Docteur, qu'il connaissait depuis l'enfance, mais celui-ci avait la taille et la forme d'un tonneau. Il était chauve et rouge. Une grosse moustache teinte en noir masquait sa lèvre supérieure. Il peinait à reprendre son souffle. Il portait un costume de lin qui avait été jadis élégant mais qui était désormais constellé de taches et troué en divers endroits. Le Maire était habillé d'une salopette de pêcheur.

« J'avais dit au Spadon de ne prévenir que toi.

« — Le Docteur et moi, on travaillait encore sur ce putain de dossier pour les Thermes ! Vous allez nous dire ce qui se passe, à la fin ?

— Montre-leur. »

Amérique comprit. Il se pencha et enleva trois des pierres qui maintenaient la bâche. Le vent se vautra en elle et lui dessina un ventre de femme grosse. Au même instant, deux goélands s'effondrèrent du ciel, immenses et inquiétants. Ils rasèrent la tête des hommes, qui la rentrèrent par réflexe dans leurs épaules, avant de s'élever aussitôt et de disparaître dans les nuages.

Quand il découvrit les corps, le Docteur perdit durant un bref instant son sourire de convenance. Le Maire pesta en utilisant le vieux dialecte, dans lequel des mots arabes se sont croisés à des vocables espagnols et grecs depuis mille ans et davantage. Son front se plissa de quantité de rides qui témoignaient des soucis qu'il voyait naître de cette découverte, et dont il prenait soudain la mesure.

Mais le plus curieux, et pour tout dire le plus irréel, ce fut que soudain une voix nouvelle s'éleva, qui n'appartenait à aucun des présents, une voix qui les fit tous sursauter, comme si le Diable venait de s'inviter tout à coup parmi eux.

Dans la confusion de leurs pensées et la progressive conscience qui les avait saisis que ce qu'ils avaient sous les yeux n'appartenait pas à un cauchemar, une scène de film, de journal télévisé ou à la page d'un roman policier, mais à la réalité humide de ce matin de septembre, ils n'avaient pas entendu les pas de celui qui s'était approché d'eux, et qui venait

de percer le silence comme un abcès en répétant simplement, « Mon Dieu », à trois reprises, d'une voix
douce et épouvantée qui donna à tous des frissons,
ce qui subitement les irrita contre le nouvel arrivant,
car nul n'aime être pris en flagrant délit de faiblesse
et de peur.

Celui qui psalmodiait, c'était l'Instituteur. Il avait
repris la classe après la Vieille. Il n'était pas de l'île.
Un étranger donc. La Vieille ne l'aimait pas, mais
elle n'aimait pas grand monde. Bien sûr, il avait été
plus que temps qu'elle passe la main, mais il lui faisait
l'effet d'un voleur. Il lui avait volé son travail. Volé
ses élèves. Volé son école. Elle le détestait.

Il avait une femme qu'on disait être infirmière.
Au début, elle avait cherché du travail, mais on ne
lui avait rien proposé. Elle avait ensuite tenté d'ouvrir un cabinet de soins, dans une annexe de l'école.
Mais les gens de l'île se soignent eux-mêmes et quand
c'est plus grave il y a le Docteur. Alors elle avait fini
par rester chez elle. Par ne rien faire, sinon trouver le
temps très long. L'île était devenue son quotidien et
son ennui.

On murmurait qu'elle dépérissait comme une
plante oubliée à l'angle d'une fenêtre, et qu'on n'ar-
rose presque jamais. Le couple avait deux fillettes,
des jumelles. De petits oiseaux gais, insouciants.
Deux enfants de dix ans, qui ne se quittaient jamais
et ne jouaient qu'entre elles.

Ce matin-là, l'Instituteur portait un short vert et
un maillot blanc moulant, sur lequel se détachait un
slogan publicitaire pour un opérateur téléphonique.
Il était chaussé de baskets. Il se rasait les mollets et

les cuisses comme les sportifs professionnels. Sa peau ressemblait à celle d'une femme. Chaque matin il effectuait un long entraînement de course à pied avant de prendre une douche et de se rendre à son travail. Il n'avait d'yeux que pour les trois cadavres, alors que tous les autres ne fixaient plus que lui.

« Qu'est-ce que vous fabriquez ici ? lui jeta le Maire.

— Je courais. J'ai vu la charrette et l'âne d'Amérique. Et vous tous au loin. Et puis la bâche. Je me suis dit que…

— Vous vous êtes dit quoi ? »

La Vieille avait parlé sur un ton aussi mauvais que celui du Maire.

« Que tout cela n'était pas normal ! Qu'il avait dû se passer quelque chose de grave. J'ai reconnu le Docteur, et puis monsieur le Maire… Mon Dieu ! »

Lui ne cachait pas qu'il était bouleversé, contrairement aux autres qui l'étaient aussi mais se seraient fait tuer plutôt que de le laisser paraître. Malgré son grand corps solide, la force qui se dégageait de sa jeunesse, il avait un peu plus de trente ans, il ressemblait soudain à une créature tout à fait vulnérable. Il ne parvenait pas à couper le robinet de sa litanie dans lequel le nom de Dieu s'écoulait comme un filet d'eau claire.

La Vieille le ferma pour lui :

« Laissez Dieu en dehors de tout ça. »

L'Instituteur se tut. Plus personne ne parla.

Il était tôt. À peine huit heures. Le plafond de nuages s'était encore abaissé, et le jour naissant perdait déjà en clarté. Le vent venu du large poussait les vagues jusqu'aux pieds du petit groupe, qui fit quelques pas en retrait pour ne pas être mouillé. Chacun eut soudain froid. L'Instituteur grelottait. La peau de ses jambes et de ses bras ressemblait à celle d'un poulet plumé. Seuls les trois cadavres demeuraient impassibles.

Le Maire reprit :

« Nous sommes six ici. Six à savoir. Six à se taire jusqu'à ce soir où nous nous retrouverons à la mairie à neuf heures. Je vais réfléchir à la marche à suivre.

— La marche à suivre… ? s'étonna l'Instituteur en grelottant.

— Taisez-vous ! coupa le Maire. Ce soir nous discuterons. Mais si d'ici là l'un d'entre vous parle de ça à qui que ce soit, ou si l'un d'entre vous ne vient pas ce soir, je dépends mon fusil et je lui règle son compte.

— Qu'est-ce que tu vas faire d'eux ? demanda la Vieille.

— Je vais m'en occuper avec le Spadon. Amérique, tu vas nous laisser ta charrette et ton âne. Vous autres, vous pouvez tous partir. Toi aussi, Amérique, on sera assez de deux. À ce soir. Et souvenez-vous que je ne suis pas homme à faire des promesses en l'air ! »

On se dispersa. La Vieille reprit sa promenade comme si rien n'avait eu lieu. Le chien tournait autour d'elle. Il était heureux comme seules peuvent l'être les bêtes qui vivent dans le présent, qui ne savent rien du passé, ni des souffrances et des questions de l'avenir.

La Vieille s'enfonça dans le lointain. L'Instituteur tenta de reprendre sa course, mais on le vit tituber et pour finir aller en marchant, pour ainsi dire sans but et comme un automate, en se retournant fréquemment vers les corps des noyés. Le Docteur s'éloigna vers la ville avec Amérique, tandis que le Spadon revenait avec l'âne et la charrette. Le Maire fouillait ses poches.

« Vous cherchez quelque chose, Patron ?

— Une cigarette.

— Je croyais que vous aviez arrêté.

— Et si je veux reprendre, c'est ton affaire ?

— Ce que j'en disais.

— Donne-moi une des tiennes. »

Le Spadon tendit un paquet. Le Maire saisit une cigarette. Le Spadon la lui alluma. Le Maire tira deux longues bouffées coup sur coup, en fermant les yeux. Le Spadon caressait l'âne tout en contemplant les trois cadavres.

« Et maintenant, Patron ?

— Maintenant quoi ?

— Qu'est-ce qui va arriver ? »

Le Maire haussa les épaules. Il cracha par terre.

« Rien. Il n'arrivera rien. C'est une erreur.

— Une erreur ?

— Dans quelques semaines, tu te diras que tu as rêvé tout ça. Et si tu m'en parles, si tu me demandes quelque chose, je te dirai que je ne sais pas à quoi tu fais allusion. Tu comprends ?

— Je ne sais pas.

— Les souvenirs. On peut les garder, mais on peut aussi les râper comme un morceau de fromage dans la soupe. Et après, ils n'existent plus. Ça, tu comprends ?

— Ça, je comprends. Le fromage, il disparaît. Il fond dans la soupe. Il ne reste que le goût dans la bouche, mais avec un verre de vin, on le chasse. Il n'en reste plus rien.

— Voilà. Avec un verre de vin, on le chasse. Allons-y, la Vieille nous regarde. »

La Vieille s'était arrêtée à une centaine de mètres et semblait même rebrousser chemin, comme si elle revenait vers eux avec sa silhouette de poignard et son chien qui tournait autour d'elle. Le Spadon saisit le premier cadavre sous les aisselles. Le Maire le prit aux pieds. Ils le hissèrent dans la carriole, et firent de même ensuite pour les deux autres. Le Spadon déposa la bâche sur eux et la noua. On ne vit bientôt plus rien que du plastique bleu. Le Maire était déjà monté sur la planche qui servait de siège. Le Spadon le rejoignit, prit les rênes, fit tourner l'âne qui se mit à marcher en direction du chemin.

La plage retrouva son impassible solitude.

IV

Pour chacun de ces protagonistes, le jour eut la longueur d'un siècle et c'est avec soulagement qu'ils virent apparaître le crépuscule. À neuf heures ce soir-là, tandis qu'au-dehors la nuit faisait se confondre la mer et le ciel en une seule masse sombre, le Maire ferma la porte de la salle du conseil, tira les rideaux de velours qui ne servaient jamais. Des nuages de poussière rousse s'en détachèrent, volèrent près des deux lustres à pampilles, seul luxe de la pièce, et chutèrent sur les têtes et les épaules de ceux qui avaient pris place autour de la table ovale.

Le Maire vint s'asseoir. Il le fit avec une solennité ostentatoire, avec son petit corps de vieil enfant et toujours en silence, il regarda un à un les présents : il ne manquait personne de ceux qui s'étaient trouvés le matin même sur la plage.

« Le Spadon et moi avons mis les dépouilles en lieu sûr, dans un endroit où personne ne peut les trouver, et dont je suis seul à avoir la clé. »

Il sortit de sa poche un morceau d'aluminium qui ne ressemblait pas à une clé traditionnelle, quelque chose de plat et de mat, percé de trous, et le posa devant lui. Il laissa à tous les autres le temps de le regarder.

« J'ai passé la journée à réfléchir à ce qu'il conviendrait de faire, et je suppose que vous aussi. »

L'Instituteur, qui avait troqué son accoutrement de sportif contre un vêtement décent et dont la physionomie témoignait encore de la grande émotion qui le travaillait, interrompit aussitôt le Maire :

« Comment, ce qu'il faut faire ! ? Mais nous devons avertir les autorités ! Quoi d'autre ? J'étais tellement abasourdi ce matin que je n'avais plus toute ma raison. J'ai respecté ce que vous nous avez demandé, je n'ai rien dit à personne, mais je ne comprends pas ce que nous faisons ici ni ce que vous attendez pour vous mettre en contact avec la police et un juge. Laisser passer toute une journée, après une pareille découverte, c'est tout bonnement stupéfiant ! »

L'Instituteur s'arrêta. Il chercha un appui en regardant les autres, mais tous baissèrent la tête, à l'exception du Docteur qui le regardait en souriant et de la Vieille dont les yeux clairs lui firent détourner les siens. Il respirait vite, et déglutissait avec difficulté. Le Maire le considéra un instant avant de répondre :

« Je vous rappelle que ma fonction de Maire me donne des compétences en matière de police sur cette île, et qu'en l'absence de commissariat, je suis le seul parmi la population à détenir ce pouvoir, pouvoir dont je n'ai jamais usé, vous le savez sans doute, parce que notre île est tranquille. Et si je n'ai aucune compétence en matière de justice, c'est à moi qu'il incombe tout de même de décider dans un premier temps si cela vaut la peine ou non de déranger un enquêteur et un juge du continent.

— Et trois cadavres, cela ne vaut pas la peine, lança l'Instituteur. À partir de combien prendrez-vous votre téléphone ? Cinq, dix, vingt, cent ? »

Son audace avait rosi ses joues. Il fixait de nouveau le Maire, dont les yeux parurent s'avancer tout au bord de leurs orbites tandis qu'on entendait ses dents grincer les unes contre les autres. Celui-ci reprit, d'une voix si basse qu'il fallut à beaucoup tendre l'oreille pour l'entendre.

« Les corps ont été examinés par le Docteur. Ils ne présentent pas de traces de violence. Tu m'arrêtes, si je me trompe : tu n'as remarqué aucune plaie, c'est bien ce que tu m'as dit ? »

Le Docteur, qui massait son ventre, acquiesça en souriant.

« Rien n'indique que ces malheureux aient été victimes d'une agression ou d'un assassinat. Ils sont morts noyés, n'ont pas fait un long séjour dans l'eau, comme l'indique l'absence d'écorchures, de plaies qu'auraient pu causer des rochers, des crabes ou des poissons, des hélices de bateau.

— Les avez-vous *autopsiés*, Docteur ? » coupa l'Instituteur, et il déglutit péniblement une fois sa phrase dite, comme si le mot, entendu mille fois dans les séries policières, était trop lourd pour lui.

« Inutile, répondit le Docteur qui ne se départit pas de sa bonne humeur. La noyade est hélas évidente. De quoi voulez-vous donc qu'ils soient morts ? D'insolation ? »

Le Spadon éclata de rire, et Amérique aussi. Même la Vieille sourit, silencieusement, de ses lèvres pâles retroussées en une moue hautaine sur ses dents grises. Et le Maire rit également, mais cela ressemblait chez lui à un sifflement de serpent. L'Instituteur qui se tortillait sur sa chaise se lança, avec sa voix qui n'allait pas avec sa grande et forte carcasse, une voix de garçonnet timide.

« Vous savez mieux que moi que pour établir qu'une personne est morte de noyade, un examen superficiel n'est pas suffisant et que des analyses comparatives du taux de strontium et de fer dans le sang par rapport au taux de ces métaux dans l'eau sont indispensables. Je m'excuse de ces détails un peu techniques. Nulle intention chez moi de jouer le pédant, je suis simplement amateur de vérité.

— Mais c'est tout à votre honneur, reprit le Docteur qui s'était mis à caresser sensuellement un cigare qu'il venait de sortir de la poche intérieure de sa veste, et vous avez raison. Mais réfléchissons une minute : nous savons tous ici d'où viennent ces malheureux, et ce qu'ils tentaient de faire. Même si nous lui tournons le dos, l'Afrique est bien là, toute proche, à quelques dizaines de milles. Comment pourrions-nous ignorer ce qui s'y joue quand tous les médias ne cessent de nous montrer les efforts que des milliers de malheureux engagent pour atteindre l'Europe ? Nous savons bien où ces trois hommes voulaient aller. L'embarcation sur laquelle ils étaient a chaviré, comme d'autres avant elle, et comme d'autres chavireront encore. Ils sont morts noyés. La mer tolère souvent que les hommes glissent sur son échine, mais parfois elle s'irrite et dévore quelques-uns d'entre eux. Voilà la vérité, qui est fort triste, je vous l'accorde. »

Parler avait donné chaud au Docteur, qui sortit un mouchoir pour éponger les gouttelettes de sueur apparues sur son front. L'Instituteur se taisait, comme si la prose du Docteur avait agi sur lui à la façon d'un narcotique. Le Maire le laissa s'envaser dans son silence. La Vieille le fixait toujours. Le Spadon regardait le plafond et Amérique inspectait ses ongles, d'un air sérieux. On aurait dit que leur noirceur le préoccupait soudain gravement et le plongeait dans des abîmes de stupeur.

C'est alors qu'on entendit une sorte de grattement à la porte, non pas des coups frappés timidement, mais un bruit désagréable, comme lorsqu'une branche de bois mort racle un volet sous l'effet du vent, ou qu'une corneille, du bec et de la patte, cherche sans succès à entrer dans une maison. Et avant même que les uns et les autres aient pu identifier le bruit, la porte s'entrouvrit avec lenteur et on aurait pu croire de nouveau que c'était le vent qui poussait le battant, mais le Curé apparut, avec ses lunettes de myope et son cou glabre de coq anémié, étranglé par le faux col de sa soutane qui jadis avait été blanc, mais que la crasse et le temps avaient rendu aussi gris qu'une corde de pendu. Quelques abeilles voletaient autour de lui.

Le Maire ne le laissa pas pénétrer davantage.

« Mon Père, je vous prie de nous excuser, mais nous sommes occupés dans une réunion importante et je ne…

— Ne vous fatiguez pas, l'arrêta le Curé. Je sais pourquoi vous êtes ici. Les corps des nègres ce matin sur la plage. On m'a tout raconté.

— Quel est le salopard qui a parlé ? » hurla le Maire. Il avait bondi de sa chaise en frappant des deux mains le plat de la table. Il regardait les uns et les autres comme s'il s'apprêtait à les égorger.

« Une personne s'est ouverte à moi dans le secret de la confession, reprit le Curé. Elle se trouve ici. Qu'elle n'ait aucune crainte, jamais je ne la trahirai. Je l'ai simplement avertie que je viendrais ce soir. Pour elle, ma présence n'est pas une surprise. Je veux simplement que vous sachiez, toutes et tous, que je sais. Ma place est donc ici, avec vous. »

Il donnait toujours l'impression d'être partout chez lui, même dans les endroits où il n'avait jamais mis les pieds. Il ôta de son nez ses lunettes épaisses et troubles qui lui faisaient un regard de rouget perdu dans un aquarium aux parois verdies par les algues, puis se mit à les essuyer lentement avec un pan de sa soutane qui sentait le camphre et le long célibat.

« Mais continuez, je vous en prie. Vous en étiez où ? » demanda-t-il une fois qu'il eut de nouveau chaussé ses lunettes et déposé devant lui une abeille qui ne voulait pas quitter son oreille.

Le Maire contractait ses mâchoires. Il triturait le porte-mine qu'il tenait dans ses mains. On avait l'impression que sa peau s'était encore plus tendue sur les os de son visage. Il devait être en train de se raisonner, de se dire qu'un curé n'est pas vraiment un homme, et qu'à force d'entretenir de longues conversations avec du vide, dans sa profonde solitude et sa misère, il avait perdu le sens du réel et du monde. Sans doute n'était-il là que pour se soucier du devenir de l'âme des noyés, et si c'était bien cela, lui qui était Maire et totalement athée le laisserait volontiers entreprendre cette mission. Il s'en foutait du salut des âmes, du Purgatoire, de l'Enfer et de toutes ces conneries. Une lointaine formation de comptable par correspondance lui avait appris que la vie n'était qu'une addition terrestre de moments heureux et amers qui, au final, quoi qu'on fasse, compose un bilan nul.

Pour autant, les mots du Curé avaient fait leur effet. Autour de la table, les uns et les autres se jetaient des regards soupçonneux. Chacun essayait de deviner qui donc s'était précipité à l'église, croyant encore suffisamment à ces questions de confession et de pardon pour avoir ressenti le besoin de frapper à la porte du presbytère puis de s'enfermer dans une vieille armoire poussiéreuse afin de soulager son âme.

Ce qui était certain, c'était que celle ou celui qui était allé tout raconter au Curé dissimulait bien son jeu, car chacun avait semblé épouvanté quand il avait lancé qu'il était au courant de tout. Mais au vrai, c'était une curieuse épouvante, exagérée, car personne jusqu'alors ne s'était rendu coupable d'aucun crime. Aucun n'avait noyé les trois hommes. Aucun ne les avait jetés à l'eau. Aucun ne les connaissait ni ne les avait rencontrés auparavant.

Il fallut bien poursuivre la réunion. L'apparition du Curé sembla apaiser l'Instituteur. Peut-être pensait-il que le prêtre allait se ranger de son côté et demander comme lui qu'on avertisse au plus vite les autorités. Il laissa donc parler le Maire, cette fois sans l'interrompre.

« Comme l'a fait remarquer le Docteur, nous savons très bien d'où viennent ces hommes. Ils fuient la misère. Ils fuient le chaos. Ils fuient la guerre. Ils risquent leur vie en s'embarquant sur des radeaux, des canots, des épaves qui peuvent couler à tout moment. Le Docteur l'a dit : ce ne sont pas les premiers qui meurent ainsi. Ce ne seront hélas pas les derniers. Ce qui est nouveau, c'est que les courants les ont amenés jusqu'à notre rive. C'est incompréhensible. »

Le Maire s'interrompit une seconde, le temps pour lui de jeter un œil à l'Instituteur, pensant qu'il allait s'engouffrer dans ce silence, mais ce dernier n'en fit rien et attendait la suite.

« Notre île n'était pas leur destination, reprit le Maire. Ils ne la connaissaient sans doute même pas. Elle est devenue leur cimetière. Si j'avertissais la police et un juge, que se passerait-il ? Nous verrions débarquer ici non seulement ces beaux messieurs qui nous regardent toujours de haut comme si nous étions des crottes de rats, mais aussi derrière eux quantité de journalistes, avec leurs micros et leurs caméras. Notre île du jour au lendemain deviendrait l'île aux noyés. Vous savez que ces chacals sont forts pour les formules. »

Le Maire poursuivit :

« Si la presse soudain se déchaîne et dresse de notre île un portrait déplorable, comment dans ces conditions conclure avec le Consortium pour le projet des Thermes ? Pensez-vous que ces messieurs seraient encore d'accord pour investir des millions et construire leur complexe ? Notre terre qui est fameuse par ses sources d'eau chaude, ses paysages, son vin, son huile, ses câpres, deviendrait celle sur laquelle viennent s'échouer des cadavres venus d'Afrique ? Nos eaux pures seraient celles dans lesquelles des morts trempent, marinent et pourrissent ? Qui voudrait alors s'y baigner, se soigner avec son eau, ou manger le poisson qu'on y pêche ? »

Le Maire fit une pause, laissant les derniers mots qu'il venait de prononcer entrer dans la tête de chacun et y déployer leurs images macabres.

« Je suis le Maire, reprit-il. J'ai la charge du présent et je dois aussi songer à l'avenir de notre île, à celui de nos enfants dont la plupart sont contraints au départ parce qu'il y a ici trop peu de travail. Le projet des Thermes va créer des emplois. Une centaine quand ils seront en activité. Sans compter tous ceux que nécessitera leur construction. Je ne veux pas ruiner ce projet. C'est notre chance. Notre dernière chance pour que des familles demeurent ici, fassent des enfants, qui eux-mêmes en feront. Rien hélas ne fera revenir à la vie ces trois malheureux. Rendre public ce qui s'est produit risque d'avoir des conséquences désolantes et ne les ressuscitera pas. Ne voyez aucune provocation dans mes propos, monsieur le Curé. Bien entendu, je n'ai pas le pouvoir de vous dicter votre conduite, mais c'est au bon sens de tous, à votre responsabilité et à votre solidarité que j'en appelle. »

Il y eut ensuite un long silence, engourdi et plein de gêne. Certains pensèrent sans doute que l'Instituteur, qui se tortillait sur sa chaise, allait de nouveau prendre la parole et contester ce que venait de dire le Maire, mais il n'en fit rien et se contenta de gratter nerveusement sa chevelure d'agneau blond.

Le Curé ne s'exprima pas davantage. Il se balançait sur sa chaise et avait posé ses mains croisées sur son ventre, qui, avec les ans, avait pris la forme d'un œuf de merle, pointu et bombé.

« Où les as-tu mis ? »

La voix de la Vieille tomba dans le silence comme un verre qu'on brise sur un carrelage.

« En lieu sûr, je l'ai déjà dit.

— Je ne te demande pas si le lieu est sûr, je te demande où c'est.

— Qu'est-ce que ça vous apportera de savoir ?

— Tu veux notre silence ? Moi je veux la vérité. C'est tout. »

Le Maire essaya de soutenir le regard de la Vieille mais il se perdit dans ses pupilles laiteuses. Agacé par sa propre faiblesse, il détourna les yeux. Alors il constata que tous les autres le regardaient, sans exception, attendant qu'il réponde.

« Dans ma chambre froide, finit-il par dire d'une voix basse.

— Dans votre chambre froide ? Avec les poissons ? dit l'Instituteur qui paraissait scandalisé et tout à la fois apeuré.

— Vous auriez voulu que je les mette où ? Dans mon lit ? » Et le Maire, hors de lui, brisa sans même s'en rendre compte le porte-mine qu'il tenait entre ses doigts.

V

Ce fut une curieuse procession qui, dans le plus grand silence, quitta ce soir-là la mairie peu après dix heures. En file indienne, le Maire en tête et le Curé fermant la marche, elle se rendit en se coulant dans l'obscurité des ruelles vers la partie du port où se trouvent la criée, les ateliers de réfection des bateaux, les cales sèches ainsi que l'entrepôt frigorifique.

Situé un peu à l'écart des autres bâtiments, peint de rouge et de jaune, celui-ci possède deux entrées : l'une face à la mer permet aux trois bateaux du Maire de transborder directement leur pêche dans une salle carrelée où elle est triée et conditionnée ; l'autre, sur le quai, qui donne accès aux bureaux de l'entreprise, au hangar où les pêcheurs entreposent le matériel, se changent, réparent les filets, et à la chambre froide à proprement parler.

Le Maire laissa le soin au Spadon de décadenasser la chaîne qui maintenait fermé le portail. Elle faisait cinq ou six fois le tour des montants de la grille et lorsque le pêcheur l'enleva, cela produisit une musique de fer-raille, chuintante et rouillée. On eut l'impression qu'il venait de désentraver les chevilles d'un bagnard. Le Spadon poussa la grille et laissa passer le Maire.

Le petit groupe pénétra dans l'enceinte. Le Maire sortit de sa poche un trousseau de clés, en choisit une sans hésiter, la fit jouer dans la serrure d'une haute porte renforcée par des panneaux de contreplaqué. Il poussa d'un coup d'épaule le battant que l'humidité avait gonflé. La porte céda. Il actionna un interrupteur, se retourna vers le groupe, auquel d'un geste énervé de la main il fit comprendre d'entrer le plus vite possible. Il referma la porte derrière le Curé d'un nouveau coup d'épaule.

Trois hauts plafonniers saupoudraient d'une lumière crue les cordages, les filets, les casiers en bois et en plastique, les bouées, les pots de peinture et de goudron, les cirés et les bottes, les flotteurs de liège, tout le fatras accoutumé des resserres de pêcheurs.

Des odeurs de sel, d'algues séchées, de mazout, de poils de chien et de tabac, de poisson aussi s'entortillaient à tout cela. Dans un angle, quatre chaises disposées autour d'une caisse sur laquelle étaient posées des tasses sales, dépareillées, semblaient attendre des joueurs de cartes ou des causeurs. Des calendriers publicitaires pour des marques de moteur étaient punaisés dans un angle. On y voyait les jours et les mois d'années perdues, et les photographies de jeunes femmes nues qui les illustraient avaient jauni avec le temps, donnant à leurs seins énormes des teintes cireuses.

Au fond de la vaste pièce, on distinguait une porte en aluminium, haute et bombée, étonnamment neuve, qui faisait penser au sas d'un vaisseau spatial comme on en voit dans les films de science-fiction. C'était celle de la chambre froide. Le Maire se tenait à côté d'elle.

« On ne va pas y passer la nuit ! »

Les uns et les autres se pensaient au musée et regardaient tout autour d'eux comme s'ils découvraient un monde nouveau : le Docteur marchait les bras ramenés derrière le dos à la façon d'un philosophe en promenade. Le Curé replaçait correctement un crucifix de guingois coincé entre deux images pornographiques qu'il feignait de ne pas voir. Amérique, ébloui par le maillage de nylon d'un filet flambant neuf, le caressait avec tendresse, mais le quitta pour des bidons de bitume dont certains vomissaient leur contenu sirupeux en de longues et fines coulures qui dessinaient au sol des cheveux de sorcière. Le Spadon fouillait dans un ciré qui devait être le sien à la recherche d'on ne sait quoi. La Vieille, qui s'était plantée au beau milieu de l'entrepôt, pivotait sur elle-même, lentement, inspectant dans un mouvement à 360 degrés tout l'espace. On aurait pu la prendre pour un huissier évaluant la valeur de chaque chose avant une mise à l'encan. Quant à l'Instituteur, il observait avec attention une carte marine placée sous verre et sur laquelle on reconnaissait l'île et les autres îles de l'*Archipel du Chien*. Des flèches pâles figuraient les principaux courants. Les hauts-fonds étaient teintés de gris et les récifs de violet.

La voix du Maire les sortit de leur songerie et tous se dirigèrent vers lui. Il avait enfoncé dans la serrure la curieuse clé qu'il avait montrée un peu plus tôt dans la soirée. Une fois le mécanisme débloqué, il s'y reprit à deux reprises pour ouvrir la porte qui céda enfin dans un bruit caoutchouté, de ceux qui naissent quand on débouche un évier avec une ventouse.

Une haleine de pôle figea soudain les visages en même temps qu'un brouillard de vapeurs givrées les enveloppait, leur donnant l'impression d'entrer dans une autre saison, éloignée de leur monde, de leur existence tranquille et chaude, éloignée de la vie. Tous frissonnèrent au même instant, en raison de la température qui dans la première partie de la chambre était maintenue à deux degrés mais aussi parce que soudain la vision des casiers ajourés, où reposait le produit de la pêche du jour précédent, dessinait une superposition rigide de corps argentés, moirés, aux gueules ouvertes sur du vide et aux yeux nimbés de reflets gris et verts.

La plupart des bacs contenaient des loups, des petites bonites, des poissons de roche, des rougets, des girelles, des poulpes, des sabres, toute la foule commune des profondeurs que les filets avaient ravie et que les mains des pêcheurs avaient ensuite disposée sur les lits de glace.

Suspendus au plafond par des crochets autour desquels on avait ligoté leur nageoire caudale, deux grands espadons et un thon semblaient être à la torture. Les rostres des deux premiers traînaient à terre comme d'inutiles rapières et leurs gros yeux suppliaient qu'on les délivre. Quant au thon, énorme, il avait les allures d'un lansquenet obèse, caparaçonné dans son armure, tombé dans un combat qui ne lui avait laissé aucune blessure apparente. Résigné, il fixait le sol comme pour y trouver les raisons de sa défaite.

Il fallut passer près de ces grands pendus pour accéder derrière le Maire à la seconde partie de la chambre froide, qui abritait après une autre porte d'aluminium le lieu de congélation. De nouveau, une fois la porte ouverte, des vapeurs plus glacées encore que les précédentes s'échappèrent et finirent de geler le petit groupe. Le sourire du Docteur ressemblait désormais à une grimace et sa moustache, comme les sourcils frisottés de l'Instituteur, se couvrirent subitement d'une neige qu'on aurait crue artificielle. Tous grelottaient, à l'exception notable de la Vieille, pourtant seulement vêtue d'un mince gilet de laine.

La chambre de congélation était obscure. Les vapeurs qui s'en dégageaient ne faisaient qu'ourler d'une grisaille nébuleuse et mobile les ténèbres dont on ne parvenait pas à prendre la mesure. Le Maire les laissa tous ainsi pendant quelques secondes car il était soucieux de produire un effet dramaturgique. Puis il abaissa une manette qui produisit un claquement sec et une lumière chirurgicale incendia aussitôt l'espace, forçant le petit groupe à fermer un bref instant les paupières comme s'il s'était trouvé poussé par une main ironique sous les projecteurs aveuglants d'un plateau de télévision.

La pièce faisait environ huit mètres carrés. Sur trois de ses murs avaient été aménagés des bat-flanc pour stocker les poissons. Celui vissé au mur du fond était inoccupé. Seule une croûte de glace, épaisse, inégale, bosselée, dessinait une banquise miniature qui enrobait son socle et débordait de lui, sirupeuse, hérissée en deux endroits de stalactites qui faisaient songer à des canines de félin.

Débité en tranches, un thon tout en buste reposait en disques argentés sur le bat-flanc de droite. La tête du poisson, intacte et arrogante, gardait encore solidement attachée à elle un tronçon d'une vingtaine de centimètres de chair compacte, rougeâtre, que le froid avait irisé de cristaux pâles mais que la scie n'avait pas entamé.

Sur l'autre bat-flanc qui lui faisait face, on reconnaissait la bâche bleue d'Amérique. Le froid polaire avait accentué ses cassures et ses angles saugrenus. Des fumerolles s'échappaient du paquet.

Les corps entortillés dans le linceul de plastique occupaient tout le rangement. La bâche plaquée par le froid sur leurs jambes et leurs pieds dessinait une forme qui rappelait celle des sarcophages de l'Égypte ancienne, mais vers le haut, malmenée par la congélation, elle s'était rétractée sur elle-même, laissant apparaître le visage d'un des hommes qui regardait les visiteurs. Ses paupières s'étaient ouvertes, elles aussi sans doute sous l'effet du froid. Ses yeux ne possédaient plus ni iris ni pupilles : exorbités, ils étaient devenus deux billes de verre d'une opaque blancheur.

Le Curé, qui avait ôté ses culs de bouteille vitrifiés par la vapeur glacée, voulut faire disparaître ce regard vide, si peu humain, et avant même que le Maire pût l'en empêcher, il tenta de faire glisser les paupières sur les yeux morts sans songer que son geste était vain puisque la chair du malheureux avait désormais acquis la dureté du marbre.

Et ce à quoi le Curé n'avait pas songé non plus, c'est que la peau de ses doigts se collerait en un millième de seconde aux grands yeux blancs, le froid agissant comme la plus efficace des glus, et il se retrouva donc avec la pulpe du pouce et du majeur de sa main droite soudée aux billes pâles.

Il émit un petit gémissement, de peur et de surprise, et essaya de retirer sa main mais ses deux doigts demeuraient attachés aux yeux du mort. La panique ne lui fit pas entendre ce que disait le Maire, qui lui ordonnait en hurlant de ne surtout rien faire, de ne pas bouger et demandait au Spadon d'aller vite chercher un broc d'eau chaude : d'un geste sec du bras et dans un cri de douleur, le Curé arracha ses doigts du cadavre.

On vit alors une chose qui parut à tous irréelle et fantastique : un visage mort, d'un noir tirant sur le gris, couvert de cheveux crépus blancs de givre, dont les yeux soudain se mirent à pleurer des larmes de sang que le froid immédiatement figea en de minuscules perles écarlates.

VI

Sur l'île, on enterre les morts debout. La terre est rare. Elle est le bien le plus précieux. Les hommes ont compris très tôt qu'elle devait appartenir aux vivants, qu'elle était là pour les nourrir, et que les morts devaient y prendre le moins de place possible. Qu'elle ne leur servait plus à rien.

Ainsi, le cimetière de la ville ressemble-t-il à un hérissement de pierres noires, inégales dans leur forme, hautes d'un mètre à peine, serrées les unes contre les autres comme les soldats pétrifiés d'une armée anéantie, et sur lesquelles on grave le nom du défunt, la date de sa naissance et celle de sa mort.

Ici, on vit ensemble mais on voyage seul dans la mort : le cimetière n'abrite aucune sépulture commune ni familiale, mais des tombes célibataires dans lesquelles le mort se tient droit comme il s'est tenu droit dans la vie.

La mort des trois jeunes Noirs n'avait pas eu lieu sur l'île. La mer les avait abandonnés sur le rivage comme des bois flottés. Personne ne les connaissait et leurs vies auparavant n'avaient jamais effleuré les vies des habitants de l'île. Seule leur mort les avait fait se croiser, mais ce n'était pas là une raison suffisante pour que le quotidien des vivants s'en trouve affecté.

« En exagérant un peu, avait poursuivi le Maire, après que tous furent sortis de la chambre froide et que le Spadon appliquait des pansements sur les doigts ensanglantés du Curé qui poussait des cris d'oisillon, c'était comme si ces trois hommes n'avaient jamais existé, comme si le courant n'avait pas amené leurs dépouilles jusqu'à chez nous, comme si, et cela aurait été le plus probable, la mer les avait entraînés et dissous dans ses profondeurs comme dans un bain d'acide, et que nul n'avait su ce qu'ils étaient devenus. S'ils avaient eu sur eux des papiers d'identité, le problème aurait été différent et la décision plus difficile à prendre. Des papiers d'identité les auraient reliés au monde, à un pays, une administration humaine, une histoire, une famille. Mais là, rien. Rien qui permettait de savoir leur nom, leur âge, le pays qu'ils avaient fui. Rien qui pût dire de qui ils étaient les fils, les frères, les maris, les pères.

— Mais bordel de Dieu tu me fais mal ! » rugit soudain le Curé, ce qui eut pour effet d'interrompre le propos du Maire et de chasser vers le plafond les trois abeilles qui reprenaient vie sur les épaulettes de sa soutane après l'épisode de la chambre froide.

« Je fais ce que je peux, mon Père, s'excusa le Spadon, je ne suis pas infirmière.

— On voit bien que ce n'est pas toi qui souffres ! »

Le Docteur avait refusé en souriant de s'occuper des doigts du prêtre, prétextant que les siens de doigts étaient si malhabiles et boudinés qu'il ne pouvait appliquer des pansements aussi petits. Il s'était contenté d'insister pour que le Spadon désinfecte la pulpe à vif et le pêcheur avait versé le fond d'une bouteille de marc sur les plaies, ce qui avait déjà fait hurler le Curé.

« Vous avez compris ma pensée, reprit le Maire, et vous savez bien que je ne suis ni un salaud ni un homme dénué de cœur. Mais ce n'est pas moi qui ai créé la misère du monde, et ce n'est pas à moi seul non plus de l'éponger. Inhumer ces trois corps dans notre cimetière n'a aucun sens. Déjà parce que ces hommes ne faisaient pas partie de notre communauté, mais aussi parce que nous ne savons même pas quelle était leur croyance.

« Vraisemblablement ce n'était pas la même que la nôtre et ce serait leur faire injure que de les placer dans un lieu qui en rien ne se rattache à leur religion. Par ailleurs, comme je vous l'ai dit aussitôt, je veux que cette histoire ne soit connue que de nous seuls et que nous l'emportions avec nous au moment de notre mort sans l'avoir racontée à quiconque. Ce qui suppose bien entendu que les corps de ces malheureux disparaissent, que rien ne témoigne plus nulle part de leur présence. »

Le Maire s'arrêta un instant, et fouilla chaque visage. La plupart baissèrent la tête, à l'exception de la Vieille, et aussi de l'Instituteur qui, horrifié, regardait le Maire et semblait manquer d'air comme s'il était victime d'une crise d'asthme.

« J'ai pensé un moment qu'il serait plus simple de les confier à la mer. Mais comment être assuré que quelques jours plus tard, la mer de nouveau ne fera pas échouer leurs corps sur notre rivage ? Je me suis donc dit qu'il convenait de les inhumer ici, sur notre île qui fut la dernière terre sur laquelle, sans même s'en rendre compte, ils ont abordé, le lieu où la mort les a déposés, les délivrant des souffrances qui, sans doute, ont été leur lot quotidien. »

Le Spadon en avait fini avec les pansements du Curé, mais celui-ci, écoutant peu le Maire, continuait à grimacer tout en approchant ses doigts de ses lunettes épaisses, comme si les inspecter de si près parviendrait à les cicatriser plus vite.

« Ce n'est pas à vous que j'apprendrai que l'île est trouée de quantité de gouffres. Nos ancêtres prenaient ces puits pour les bouches des Dieux. J'ai pensé qu'il n'y aura là rien de sacrilège ni d'inhumain à ce que dans l'un d'eux nous fassions glisser les corps de ces trois hommes. En quelque sorte, ils continueraient leur voyage. Ils atteindraient le cœur du monde et la paix éternelle. »

Les uns et les autres laissèrent un long temps rouler les paroles du Maire dans leurs cerveaux. Et c'est, comme chacun le craignait, l'Instituteur qui rompit le silence :

« Mais je rêve ! Je rêve ! J'ai l'impression qu'on me berce avec une histoire ! Vous parlez trop bien, monsieur le Maire ! Vous vous débarrassez des corps de ces pauvres hommes comme s'il s'agissait de poussières qu'on fourre sous un tapis ! Dois-je vous rappeler que certains sagouins ici continuent à jeter leurs poubelles dans les trous du volcan dont vous parlez ! Est-ce ainsi que vous considérez le corps de ces malheureux, comme des ordures ? J'aimerais beaucoup entendre sur ce point monsieur le Curé ! »

50

Quand il entendit qu'on parlait de lui, le Curé releva la tête et quitta ses doigts pansés qu'il contemplait avec un air catastrophé. Il se rendit compte que tous le regardaient et attendaient de lui qu'il prît la parole. Il avait sans doute entendu les propos du Maire et le court échange qui s'en était suivi avec l'Instituteur, mais à la façon d'une musique qu'on perçoit dans une pièce lointaine. Il poussa un long soupir, comme avant un effort pénible :

« Qu'est-ce que vous voulez que je vous dise ? Vous croyez que parce que je suis prêtre j'en sais plus que vous ? J'ai mes soucis comme tout le monde et je ne suis pas plus malin qu'un autre. Si vous me posiez des questions sur les abeilles, là je pourrais vous répondre, dit-il en taquinant deux d'entre elles qui progressaient sur sa manche. J'ai beaucoup appris d'elles, et le miracle du miel continue toujours à m'éblouir. Si Dieu existe, il est dans le miel ! Voici ce que j'ai découvert en soixante-neuf ans de vie et en cinquante ans de ministère. Penser que par la besogne répétée de milliers d'insectes, qu'on pourrait écraser entre deux doigts, le pollen des fleurs se mue en ce nectar blond qui adoucit la vie, et qui résume en lui toutes les odeurs de la terre, les parfums des plantes et ceux des vents, voilà qui me conforte dans l'idée que Dieu existe, même si aujourd'hui bien des hommes tentent de nous convaincre du contraire ou essaient de nous en imposer un autre, par le feu, les égorgements, les bombes et le sang. Pour le reste, et pour ces pauvres nègres notamment, qu'est-ce que vous voulez que je vous dise ?

— Pourquoi les appelez-vous des "nègres" ? »
lança l'Instituteur, outré.

Le Curé releva un peu la tête et le chercha du
regard au travers des gros verres sales de ses lunettes.
Il finit par le trouver et haussa les épaules.

« Comment voulez-vous donc que je les appelle ?

— Des Noirs, des Africains, des hommes !

— Cela va-t-il suffire à les rendre à la vie ?

— Ce serait plus digne en tout cas. Le mot
"nègre" est une insulte, vous le savez bien !

— Pas dans ma bouche, monsieur l'Instituteur.
Pas dans ma bouche. Je suis bien plus vieux que
vous. Je suis d'un autre temps en somme. C'était
le mot de mon enfance. D'une époque où sur les
bancs de l'école on m'a parlé des Peaux-Rouges, des
Jaunes, des Blancs et des Nègres. On m'a appris ainsi
le monde. Cela n'empêchait pas le respect. Chacun
des hommes de chacune de ces couleurs est un enfant
de Dieu. La haine ni le mépris ne résident dans les
mots, mais dans l'usage qu'on en fait. Mais si vous
voulez que je dise "Noirs" pour ces hommes, je dirai
"Noirs". Je le ferai si cela peut vous calmer et vous
faire plaisir. Ils n'en demeureront pas moins morts. »

L'Instituteur fit un geste agacé de la main. Une
abeille vint sur le pli de son pouce et se recroquevil-
lant, sortit son dard pour le piquer. Il la chassa de
son autre main. Elle voleta malhabile jusqu'au col
de la soutane du curé. Il reprit, un peu las et boudeur
comme un enfant contrarié :

« Vous n'avez pas répondu à ma question.

— J'y viens, soyez tranquille : ce que monsieur
le Maire a dit n'est pas idiot, et Dieu m'est témoin

pourtant que je ne suis pas toujours d'accord avec lui, en particulier comme chacun sait sur ce projet dispendieux de complexe thermal qui amènera chez nous plus de luxure, de corruption, de fausses valeurs et de débauche qu'il n'en existe déjà. Mais le pire encore serait que la maligne attention du monde se porte sur notre terre, et que soudain nous devenions l'objet d'une curiosité qui ne pourrait que nous nuire, monsieur l'Instituteur.

« Ma position est que nous tous ici avons été choisis par Dieu pour garder la mémoire de ces infortunés, la mémoire de leur mort et la mémoire de leur vie même si nous n'en avons connu que l'issue. Nous avons été élus par Dieu pour connaître cela et le tenir en nous, comme un secret qui est une croix que nous devons porter pour eux, mais aussi pour les autres membres de notre communauté.

« Nous devons supporter le poids et la douleur de ce secret, qui pèsera sur notre vie mais qui permettra que celle des autres n'en soit pas un jour affectée. Aussi, ce que propose monsieur le Maire est une solution de bon sens. Je ne vois pas de différence pour ma part entre inhumer un homme dans notre cimetière ou l'enterrer dans un gouffre. Il n'y a là aucune indignité. »

L'Instituteur ne tenait plus en place, et se tournait vers tous pour chercher un appui, un soutien, mais il demeurait seul.

« Si on décide que je dois bénir les corps de ces malheureux, poursuivit le Curé, même s'il est vrai qu'on ne sait pas quelle était leur religion ni même s'ils en avaient une, je le ferai. Je le ferai comme je le ferais pour tout être humain, puisque c'est ma pastorale. Et dites-vous, pour lever vos scrupules ou votre effroi, monsieur l'Instituteur, que lorsqu'un de nos pêcheurs vient à périr en mer, il ne rejoint jamais notre cimetière et cela n'empêche pas de prier pour lui et le repos de son âme, et le lieu immense dans lequel il est à jamais, cette mer qui nous baigne, nous nourrit et nous tourmente, ne contient pas moins d'ordures ni de saloperies que les gouffres du *Brau* qui semblent tant vous effrayer. Voilà mon sentiment, avec l'aide de Dieu. »

Le Curé se tut, mais son dernier mot fut suivi subitement par un gémissement car, comme il le faisait toujours à la fin de son prêche, il avait tapoté ses doigts les uns contre les autres, oubliant les fraîches blessures si malhabilement soignées qui les étoilaient.

VII

Sans doute l'Instituteur dormit-il mal la nuit suivante, car lorsque dans l'entrepôt de pêche le Maire soumit sa proposition au vote, elle fut adoptée à l'unanimité des voix moins la sienne.

Le Maire proposa ensuite de s'occuper, avec le Spadon, le Curé et le Docteur, de ce qu'il ne put nommer autrement que *l'enterrement*, même si on sentait bien que le mot encombrait sa bouche. Il ajouta aussi l'Instituteur car il avait compris, avant même que l'autre intervînt, qu'il allait demander à en être. La Vieille qui était silencieuse jusqu'alors le resta, et Amérique dut être bien heureux qu'on l'oubliât. Toute cette histoire lui avait déjà pris trop de temps. Il avait autre chose à faire que des funérailles de sauvages.

Après le dernier mot du Maire, chacun s'en alla dans la nuit.

Cela dit, personne ne connut le franc sommeil cette nuit-là car le vent continuait à lancer son souffle mièvre sous le seuil des portes et dans les jointures mal isolées des fenêtres des maisons, agaçant les nerfs auxquels il n'en fallait pas davantage pour s'entortiller sur eux-mêmes comme des vipères. Certes il n'y avait pas que le vent pour raboter les âmes : l'image des corps de trois noyés était cousue à l'intérieur des paupières. Nul ne pouvait l'en chasser.

Le Docteur se réveilla brusquement à 2 heures 13 du matin, comme l'indiquaient le radio-réveil et ses chiffres luminescents, après avoir senti contre son dos ce qu'il crut être une grande main froide qui caressait son échine, et vu face à lui un visage immense dont les lèvres d'un bleu presque noir tentaient de poser sur son front un baiser.

Il alluma la télévision. Cela ne lui arrivait plus très souvent. Un homme politique y parlait. Il avait la soixantaine bronzée et une denture aveuglante. Le Docteur coupa le son. Le politicien ressemblait à tous ses frères bonimenteurs avec leur peau soignée sous le maquillage épais, leurs cheveux teints ou réimplantés, leur cou joliment souple de dindon bien nourri qui s'échappe de cols de chemises d'un éternel bleu clair.

Le Docteur se perdit un instant dans son visage, qui n'était au fond le visage de personne, mais qui lui permit d'oublier ceux des *nègres* morts, comme les appelait sans malice ni malveillance le Curé. Cela l'étonnait que des hommes politiques puissent parler ainsi au milieu de la nuit – pour qui, et pour quoi donc ? Il ne se sentit pas le courage de remettre le son pour en apprendre davantage car il savait que ni celui-ci ni un autre n'avaient de choses à dire, des choses profondes et profondément nécessaires sur la marche du monde, comme celles qu'on peut trouver dans les livres par exemple. Mais le métier de ces hommes est de parler tout le temps, de parler et de ne jamais écouter qui leur parle, de ne jamais s'arrêter de parler, de vivre dans la parole, même la plus creuse et qui devient un bruit inepte et enjôleur, le chant moderne des Sirènes.

Il réchauffa le café qui restait dans une casserole sur la cuisinière et le but très noir et sans sucre, en écoutant le bruit du vent. Il alluma un cigare et saisit le vieil exemplaire de l'*Enfer* de Dante qui n'était jamais très loin de lui, et qui l'accompagnait depuis tant d'années. Il l'ouvrit au hasard et en lut, à voix basse, quelques dizaines de vers, faisant rouler les mots rocailleux disposés il y a presque mille ans dans un ordonnancement qui n'avait pas bougé depuis, alors que tant de choses, monuments, empires, palais, hommes, États, monarques, croyances, avaient disparu.

Le Docteur fumait et disait les vers, à haute voix, pour lui seul, et aussi pour la nuit qui l'entourait comme un châle chaud. Il buvait le café et un peu de marc aussi. Par petits verres. Avec grand délice. Les mots et la fumée flottaient dans l'air de sa cuisine, et sa pensée avec eux, et tous trois réunis parvenaient par miracle durant un court et délicieux instant à l'attirer dans leur immatérialité, lui faisant oublier son corps trop lourd, son âge, le lieu où il se trouvait et même qui il était.

Il se souvint que dans l'enfance il courait dans les ruelles de l'île, car il pouvait courir alors, et il lui arrivait d'oublier son corps. Il avait la sensation qu'il allait seul, mû par l'excitation du jeu. Son esprit devenait un petit diable se nourrissant de rires et de frissons. Il n'avait pas la nostalgie du temps lointain.

Il n'avait aucune nostalgie : il détestait regarder derrière lui car il ne se reconnaissait pas.

Hélas tout finit par s'éteindre des plaisirs : le fond de café dans la tasse froide se chargea soudain d'une saveur écœurante, le cigare réduit à quelques centimètres de tabac mouillé de salive se mit à sentir le purin et la pisse. Le marc commençait à napper d'aigreur son œsophage. Seul Dante tenait debout, toujours et encore, le narguant depuis son siècle lointain avec ses mots. Inhumains, les mots disent l'humain. Comme l'âme d'enfant du Docteur, ils flottent avec constance et inconscience tout au-dessus des corps qui courent à perdre haleine, à perdre la vie, dans les ruelles mal pavées de l'existence.

Le Docteur se recoucha, un peu triste mais aussi soulagé, sans trop savoir pourquoi.

VIII

Deux jours plus tard, les trois noyés avaient rejoint le chaud de la terre. Le Maire, le Docteur, le Curé, l'Instituteur et le Spadon transportèrent les cadavres congelés, toujours entortillés dans la bâche bleue, de la chambre froide jusqu'à la voiturette à chenilles du Maire qui lui sert dans ses vignes qui sont hautes et lointaines.

C'était encore la nuit. Le soleil ne se levait que deux heures plus tard. Tous ainsi, à pas lents, suivant le petit véhicule – le seul de l'île qui ne soit pas mû par la force des bêtes, car ici il n'y a ni route ni voiture – se rendirent au *Nös di Boss*, qui est un grand rocher rouge dominant un éboulis de cailloux semés là comme de grosses graines par la main désœuvrée d'un Titan.

Les dernières vignes s'épuisent une centaine de mètres plus bas et leurs ceps sont tellement rabougris et courbés sur eux-mêmes qu'on pourrait presque entendre leur plainte d'avoir à pousser très profond leurs racines pour trouver le peu d'eau nécessaire à leur survie. Mais c'est aussi une des vignes de l'île qui donne le meilleur raisin, en quantité parcimonieuse et remarquable. Elle appartient au Boueux, un cousin du

Maire qui s'occupe mollement de la voirie, cantonnier poussif, obèse et roux, marié à ses deux chats angora et qui n'a plus qu'un œil, l'autre lui ayant été volé dans une bagarre sur le port lors de sa jeunesse turbulente.

On amena au plus haut du chemin de poussière la voiturette éreintée conduite par le Spadon. Le Maire avait fait le trajet au côté de son employé et le Curé avait pris place sur le plateau contre les cadavres qui perdaient leurs eaux comme des parturientes. Le Docteur, son sourire, sa moustache teinte, suivait à pied, difficilement. L'Instituteur quant à lui ne semblait pas le moins du monde souffrir de l'effort, soutenu par sa jeunesse, sa forme physique et sa belle naïveté.

L'aube pointait sa chiche lumière quand on abandonna le véhicule à l'extrémité carrossable du chemin qui montait en lacets le long du flanc du volcan. Au loin, tout en contrebas, il y avait la mer indifférente en son aplat bleu.

Sept heures sonnèrent au clocher de l'église, invisible, tout comme était désormais invisible la petite ville derrière le ressaut de la falaise. Un gros soleil rouge sang hésitait à l'est à sortir des flots. On porta les corps sur un brancard, en se relayant tous les cinquante mètres, dans un silence essoufflé. Seul l'Instituteur, et sans doute étaient-ce là les vertus de ses entraînements de course à pied, développait une énergie considérable. Les autres étaient trop vieux, trop fumeurs, trop faibles, trop gros ou trop peu motivés pour produire des efforts.

Malgré l'air frais, on arriva en nage au bord du premier des trois trous. Le sourire du Docteur ressemblait désormais à une grimace et la teinture de sa moustache coulait noirâtre sur ses lèvres. Les autres firent tomber la poussière de leurs vêtements et reprirent leur souffle, jetant de temps à autre des coups d'œil effarouchés dans le trou. La bâche bleue suintait et l'eau ruisselait dans les froissements du plastique, tombant à terre en quantité de larmes aussitôt bues par la terre. On n'avait plus osé regarder les corps dont on ne percevait que la masse soudée, les trois s'étant fondus en un seul, ce qui rendait cela moins humain et davantage monstrueux, mais d'une monstruosité paradoxalement rassurante, comme celle d'une grande sculpture.

Le Maire et l'Instituteur partirent seuls pour inspecter les deux autres bouches noires, distantes de la première d'une centaine de mètres. Les autres s'assirent par terre sans façon. Aucun ne parla. Certains fumèrent. Le Curé sortit des poches de sa soutane son missel et son étole. S'échappèrent des poches quelques abeilles aussi qui se mirent à faire la ronde autour du crâne de leur maître, lui dessinant une auréole affectueuse et bruissante.

Les deux éclaireurs revinrent : le Maire déclara que le trou situé le plus haut était bien celui qui d'emblée présentait l'entrée la plus abrupte, au point que ni lui ni l'Instituteur n'avaient entendu ricocher sur les flancs les cailloux qu'ils venaient d'y lancer. Il y eut dans le petit groupe une rumeur de déception car tous avaient espéré ne pas avoir encore à porter plus haut le fardeau, mais il fallut s'y résoudre et la procession reprit, le Curé et ses abeilles en tête cette fois, comme si à partir de cet instant le sacré s'était invité dans la marche pour en prendre le commandement.

Quand on arriva enfin au bord du gouffre, dont la bouche n'était large que de deux mètres, chacun voulut s'y pencher et tous purent ainsi constater qu'on n'y voyait rien, qu'aucun bruit n'en montait et que seule une odeur humide en sortait, comme une bouffée de tabac moisi du fourneau d'une pipe. La lumière s'était éteinte dans le jour qui semble-t-il se refusait à naître et le soleil s'était dissous dans la mer couverte d'un lourd drap anthracite. Il faisait aussi plus frais. Et la sueur sur les fronts et sous les aisselles fit grelotter les uns et les autres. Il fallait vite en finir sinon à force d'être là, on allait bel et bien attraper la mort.

Le Spadon et l'Instituteur placèrent le fardeau tout au bord du trou. On s'assembla en demi-cercle. Le Curé bénit la bâche que le Spadon regardait avec tristesse, une belle bâche toute neuve et qui aurait pu faire de l'usage pendant des années, comme l'avait dit Amérique qui avait exigé son remboursement, et le Maire lui avait répondu de fermer sa gueule, qu'il la lui paierait sa bâche de merde, avec ses propres sous s'il fallait, et Amérique s'était tu tout couillon mais amer, et là, le Spadon qui n'aimait pas le gâchis, pensait sans doute que les trois cadavres n'avaient pas besoin de cette belle bâche pour faire leur dernier voyage et que c'était ajouter un autre pêché au premier que de perdre ainsi des choses utiles aux vivants et qui ne servaient en rien aux morts.

Le Curé dit la prière, sautant un mot sur trois. On se signa. Les abeilles aussi parurent se recueillir en volant en silence. Puis le Curé bénit une nouvelle fois le plastique bleu d'où désormais l'eau coulait comme du bec d'une fontaine. Ne restait plus qu'à pousser tout cela dans le trou. Le Spadon s'y attela sous les encouragements du Maire. Le Docteur qui avait retrouvé son souffle, cala son premier cigare de la journée entre ses dents et donna un coup de main symbolique. L'Instituteur aussi les aida. Il fallait pousser plus fort car le paquet s'accrochait aux aspérités du sol. Les trois morts venus d'ailleurs ne voulaient pas quitter le monde. On s'y mit presque tous, sous les ordres du Maire qui organisa la poussée « Un, deux, trois ! ».

Alors enfin la bâche bleue bascula dans le trou, accompagnée d'une aspiration soyeuse et des abeilles qui se précipitèrent à sa suite, abandonnant le Curé et les autres à leur solitude. Chacun s'aplatit brutalement sur le bord de la lèvre sombre, côte à côte, essoufflé, et scruta les ténèbres. On tendit l'oreille. On n'entendit rien. On aurait pu croire que les trois cadavres chutaient à l'infini, sans jamais s'écraser contre un replat, une corniche ni même au fond du gouffre. On aurait pu croire aussi qu'ils n'avaient jamais existé. Qu'on avait rêvé dans le creux inconfortable d'une mauvaise nuit, après avoir bu trop de vin ou mangé trop de viande en sauce, des images fantastiques et macabres. On aurait pu croire quantité de choses qui auraient permis de mieux vivre après.

IX

Les jours qui suivirent furent une comédie constante dans laquelle, il faut bien le reconnaître, chacun interpréta son rôle sans la moindre fausse note. C'est-à-dire que chacun continua à jouer les scènes et les actes de sa vie ordinaire comme il l'avait toujours fait : chaque matin, la Vieille promenait son chien à la même heure et au même endroit, traversant la plage de cailloux noirs, ainsi qu'elle le faisait depuis des années, sans manifester la moindre émotion lorsqu'elle passait près de l'endroit où s'étaient échoués les corps. Le chien faisait le chien, courant devant, revenant derrière, poursuivant les mouettes ou les vagues, jappant sans raison et filant doux quand sa maîtresse le rappelait à l'ordre. Amérique entretenait ses vignes et faisait un peu de travaux de maçonnerie chez les uns et chez les autres.

C'était bientôt aussi le temps du *S'tunella*, cette grande pêche au thon au large de l'île et tous les pêcheurs, le Spadon comme les autres, achevaient de préparer les grands filets, frottaient les coques et le pont des bateaux, les avitaillaient pour la campagne durant laquelle se jouaient les trois quarts des bénéfices de l'année.

Le Curé quant à lui préparait ses ruchers pour l'hiver et continuait à dire des messes dans son église pour trois bigotes et une douzaine d'abeilles que les vapeurs d'encens semblaient enivrer car leurs zézaiements devenaient alors outranciers, avant de passer son après-midi au café du port, tout au fond de la salle, à sa place attitrée où il lisait son bréviaire, des manuels d'apiculteur et des journaux sportifs, se passionnant en particulier pour les résultats des épreuves féminines de saut en hauteur, discipline sur laquelle il était intarissable. Il tentait souvent de convaincre les uns et les autres qu'il fallait voir dans l'élévation gracieuse des jeunes athlètes une figure moderne de l'assomption de la Vierge, et que Dieu avait créé le saut en hauteur afin que pécheresses et pécheurs se rapprochent de Lui.

Quant au Maire et au Docteur, ils se retrouvaient chaque fin de journée chez l'un ou chez l'autre, pour passer en revue l'épais dossier du projet thermal. La décision finale devait être prise par le Consortium au début du mois de janvier, après une ultime visite. Le Maire voulait accueillir les investisseurs dans les meilleures conditions, anticipant leurs réserves et voulant posséder tous les arguments pour les balayer.

Il n'y avait que l'Instituteur qui ne se contentait pas de sa fonction d'instituteur. Certes il s'occupait consciencieusement de sa classe, une classe de près de trente enfants dont les âges s'étageaient de 6 à 12 ans, mais il ne faisait pas que cela, comme le Spadon l'avait rapporté au Maire après que celui-ci lui avait demandé de le surveiller un peu. Il courait le matin, dans sa tenue ridicule, mais il interrompait sa course pour inspecter la plage quand il passait près d'elle. Il s'approchait du rivage et marchait lentement sur les trois cents mètres que faisait la grève. Il s'arrêtait parfois, scrutait l'horizon, se baissait pour ramasser un objet non identifiable qu'il finissait par rejeter à l'eau, passait en revue les vagues comme pour y deviner quelque chose.

« Comment ça deviner, quelque chose ?

— Je ne sais pas, moi, dit le Spadon qui se tenait debout devant le Maire, dans le bureau de l'entrepôt, et triturait sa casquette comme s'il avait voulu la détricoter. On dirait qu'il cherche. Comme si les vagues allaient lui raconter. »

Le Maire se voûta au-dessus de la table pendant quelques secondes. On aurait dit que les soucis lui écrasaient les épaules. Au-delà des vitres du bureau, c'était l'heure de la pause. Les pêcheurs roulaient une cigarette ou se préparaient un café. Aucun ne regardait vers le bureau. Le Spadon était au garde-à-vous face à son patron. Il ne savait pas s'il fallait rester ou partir.

« Qu'est-ce que tu veux qu'elles lui disent, les vagues, à part la chanson de l'eau ? finit par reprendre le Maire sur un ton pensif. La mer, ça ne parle pas. »

Le Spadon acquiesça. Il partait du principe qu'il fallait toujours être d'accord avec son chef. C'était la meilleure méthode pour éviter les ennuis. Il l'appliquait aussi avec sa femme qu'il avait épousée pour sa douceur et sa beauté mais qui, vingt ans et trois enfants plus tard, ressemblait à un mérou pourvu d'une voix de crécelle.

« Tu peux y aller. »

Le pêcheur ne se le fit pas répéter et sortit du bureau. Le Maire n'était pas tranquille. Le ver pénétrait dans le fruit. Sans vraiment connaître l'Instituteur, il soupçonnait que son silence depuis l'enterrement des corps cachait un dessein précis. Mais lequel ?

C'était toujours pareil avec les hommes qui ont étudié. Le Maire se disait que si le monde tournait si mal, c'était la faute aux hommes comme l'Instituteur, empêtrés d'idéaux et de bonté, qui cherchent jusqu'à l'obsession l'explication du pourquoi du comment, qui se persuadent de connaître le juste et l'injuste, le bien et le mal, et croient que les frontières entre les deux versants ressemblent au tranchant d'un couteau, alors que l'expérience et le bon sens enseignent que ces frontières n'existent pas, qu'elles ne sont qu'une convention, une invention des hommes, une façon de simplifier ce qui est complexe et de trouver le sommeil.

Le Docteur aussi en avait fait, des études, et des longues, avant de revenir dans l'île et de reprendre la place du Triste, qui était davantage rebouteux que médecin, et qui traînait sa mélancolie comme un gros bagage encombrant, pleurant auprès de ses patients sur ses propres malheurs. Mais lui ne faisait chier personne avec tout ça, même si sa maison était remplie de livres, et qu'il les lisait, ces livres, et c'était bien ça pour le Maire le plus incroyable. Quand tous deux, après avoir travaillé longuement sur le dossier des Thermes, tétaient leur cigare en buvant de petits verres de marc, le Docteur n'ennuyait pas le Maire avec ses états d'âme ou ses considérations sur la

Société, l'État, la Justice ou ce genre de grands mots. Ils parlaient de la pêche et du ciel, de la vigne et des vergers, évoquaient des moments de leur enfance commune, se promenaient dans les années comme des compagnons qui ont été nourris du même air, des mêmes plats et des mêmes parfums.

Ces moments apaisaient le Maire, qui se faisait souci de tout et dont la charge lui apparaissait souvent comme une punition, une punition qu'il avait pourtant choisie, et qui consistait à ajouter à ses problèmes tous ceux de la communauté.

Un soir, après qu'ils avaient passé en revue les expropriations nécessaires au projet et évalué une fois encore le montant des dédommagements et des cessions, le Docteur, tout en versant le marc dans les verres, avertit le Maire :

« Il faut tout de même que je te dise. On m'a rapporté que l'Instituteur voulait louer un bateau.

— Un bateau ?

— Un bateau. »

Le Maire reposa le verre sans l'avoir porté à ses lèvres.

« Qui t'a dit ça ?

— Un patient. Je ne te dirai pas lequel. Tu sais bien que nous autres médecins sommes comme les prêtres. Attentifs et muets.

— Une barque ?

— Non. Un vrai bateau. Avec un moteur. Une embarcation qui peut aller en mer, assez loin, solide et sûre. Avec les instruments de navigation, la radio, le sonar, le GPS, et aussi une petite cabine pour dormir. Ce sont ses mots, paraît-il.

« — Et pour quoi faire ? Pour pêcher ?

— Pour mener des *expériences*.

— Des *expériences* ?

— Je te répète ce que m'a dit la personne. »

La soirée du Maire était gâchée. Il reposa le marc et écrasa son cigare, qui lui faisait soudain mal à la gorge. C'est le mot *expérience* qui lui déplaisait fortement. Il sentait mauvais, ce mot. Il puait à plein nez. Il avait un goût de pourri, comme une carie dans la bouche avec la fibre de viande qui s'y coince et s'y décompose.

Il rentra chez lui en prétextant la fatigue et ne put fermer l'œil de la nuit, sautant dans le lit comme les sabres le font quand ils sentent le piège du filet. Sa femme lui proposa une tisane de verveine mais il refusa. Elle haussa les épaules et se rendormit. Elle avait un sommeil de loir.

Qu'est-ce que manigançait ce freluquet ? Que pouvait-il bien vouloir *expérimenter* ? Bien entendu cela avait à voir avec les trois cadavres, mais le Maire ne parvenait pas à saisir le lien entre l'événement et la location d'un bateau.

Quand la lumière de l'aube s'immisça dans les fentes des volets, il touillait encore tout cela dans son crâne. Il n'y voyait pas plus clair mais il avait en tout cas pris une décision : l'Instituteur qui aimait tant le sport pouvait toujours courir pour trouver un bateau. Personne n'accepterait de lui en louer un. Il y veillerait.

Ce ne fut pas difficile pour le Maire de faire passer le mot, d'autant que la flotte n'était pas nombreuse, et qu'on aurait besoin de toutes les embarcations pour le *S'tunella*, qui était imminent. Il restait tout de même quelques esquifs, soit qu'ils appartenaient à de vieux pêcheurs qui n'allaient plus en mer mais les entretenaient encore, pour faire semblant, pour se tromper eux-mêmes, pour se dire que cela serait possible, qu'il n'y avait qu'à le vouloir pour le pouvoir, soit à des veuves qui voyaient dans le bateau à quai l'image du mari perdu, la prolongation de sa chair à jamais absente et qui pour rien au monde n'auraient voulu le vendre, dussent-elles vivre misérablement jusqu'à la fin de leurs jours.

Le vendre non, mais le louer peut-être ?

Le Maire fit des visites. Cela ne fut pas long. À midi il poussa la porte du café du port. Il souriait. Il paya une tournée à ceux qui étaient là. Il avait obtenu ce qu'il désirait. Ça n'avait pas été difficile. Quelques promesses mineures, deux ou trois billets, et puis parfois quand cela n'avait pas suffi, le rappel que l'Instituteur n'était pas d'ici. Qu'il n'était pas né sur l'île. Qu'il n'était pas comme eux. Il n'y avait qu'à l'écouter ou le regarder. C'était le meilleur argument en somme, celui de la naissance, de la communauté, des origines. C'est avec cela que les civilisations se sont construites et fortifiées.

L'Instituteur sentit assez vite qu'un mot d'ordre avait été donné. Quand les portes se refermèrent, ou les bouches, ou même quand ni l'une ni l'autre ne s'ouvrirent, il n'insista pas, mais ne renonça pas pour autant à son projet. C'est ainsi qu'on le vit s'embarquer un samedi sur le ferry qui fait deux fois par semaine la navette entre l'île et le continent. Sa femme et ses jumelles l'avaient accompagné jusqu'à l'embarcadère. Il tenait à la main un petit sac de voyage qui laissait supposer une courte absence. De toute façon, il avait école dès le mardi, le lundi étant férié cette semaine-là, qui commémorait un lointain armistice.

Le jour était lumineux et la température très douce. On avait l'illusion que l'été tentait de nouveau sa chance. L'Instituteur embrassa sa femme et les petites, puis il monta à bord. On l'aperçut qui s'asseyait directement dans la salle principale, déserte, posait son bagage près de lui et ouvrait le carnet sur lequel beaucoup supposaient qu'il écrivait des poèmes.

Le Capitaine actionna la corne et donna l'ordre du départ et bientôt la pesante masse peinte de noir et d'orange fit bouillonner les eaux du port et s'éloigna vers le continent dont on ne distinguait jamais les côtes mais qu'on savait là-bas, vers le nord-est.

X

On s'attendait à voir arriver l'Instituteur le mardi à la première heure, par le même ferry, mais il n'en fut rien. Il revint la veille, le lundi en fin de journée, alors que le crépuscule assourdissait déjà les reflets des rayons du soleil qui plongeaient dans les eaux du port.

On ne sut pas tout d'abord que c'était lui quand on aperçut un bateau qu'on ne connaissait pas et qui, après une manœuvre maladroite, parvint à aborder à l'un des deux pontons. Le pilote coupa le moteur. On distingua sa silhouette s'affairer quelques instants dans l'étroite cabine et quand il en sortit et monta sur le pont pour lancer les amarres et les nouer, on reconnut alors l'Instituteur.

Le bateau avait pour nom *Argus* et on peut se demander si ce n'était pas ce nom qui avait motivé le choix de l'Instituteur, qui devait bien connaître sa mythologie.

Il n'avait pas la fortune pour l'avoir acheté ni même pour l'avoir loué à l'année et la façon avec laquelle il s'y était repris à plusieurs fois avant de pouvoir correctement positionner le bateau contre le ponton démontrait qu'il n'était pas un habile marin.

On remarqua aussi que dans la partie où d'ordinaire on range les filets et les casiers, le bateau contenait tout autre chose, des formes imposantes et blanches, rangées les unes contre les autres, mais avant qu'on ait vraiment pu les identifier, l'Instituteur avait déjà refermé la trappe qu'il condamna avec un cadenas.

À partir de ce jour, et cela jusqu'à la fin septembre, l'Instituteur arrêta de courir et consacra tout son temps libre à naviguer, en particulier le week-end, au cours duquel il s'absentait les deux jours, seul, laissant sa femme et ses petites filles sur l'île. Bien entendu, il arrivait que certains bateaux de pêcheurs l'aperçoivent à l'arrêt quelque part, observant les infinis à la jumelle, ou le croisent en mer, mais c'était dans des endroits chaque fois si différents qu'aucune logique ni intention lisible ne pouvait les relier.

Le Maire, à qui on rapportait cela, n'en dormait plus. Il finit par convoquer l'Instituteur, comme il était en droit de le faire puisque administrativement l'école dépendait de la commune et, bien que n'étant pas son supérieur hiérarchique, il était tout de même pour ainsi dire son employeur et son logeur. Pour que l'entretien soit moins solennel et que l'Instituteur, qui avait un caractère émotif, ne se sente pas pris au piège, le Maire le convia chez lui. Il le reçut dans ce qu'on nomme *la belle pièce*, non pas en raison de sa beauté réelle, mais de sa taille, car c'est la plus grande des pièces des maisons.

Le Maire n'y mettait jamais les pieds. Quand il travaillait avec le Docteur, il préférait la cuisine, qui lui rappelait sa mère et sa grand-mère qu'il avait tant aimées et auxquelles il pensait souvent encore avec bonheur. La belle pièce au contraire évoquait la mort, puisque c'était là, sur la table en olivier recouverte alors d'un drap blanc, qu'on avait coutume de présenter les corps des défunts, après les avoir lavés, endimanchés et coiffés.

Sa femme avait beau frotter la table à l'encaustique chaque semaine, ce qui répandait dans l'air confiné une odeur de cire molle et chaude, et disposer sur son plateau la soupière de mariage, un bouquet de fleurs séchées, et quelques bibelots roses et dorés qui représentaient pour les uns des anges, pour d'autres des dauphins, des hirondelles et un couple de jeunes bergers dont la couleur variait en fonction de l'hygrométrie, le Maire ne pouvait s'empêcher de voir apparaître sur la table la dépouille de son père, mort quand il n'avait que treize ans, de ce qu'on nommait alors une *attaque*.

Sans doute une artère avait-elle éclaté subitement, libérant des flots de sang qui avait envahi tout le corps et couru sous la peau, jusqu'au visage. Celui-ci avait pris en un instant une couleur écarlate, couleur qu'il avait gardée dans la mort, si bien que, posé sur la table, le visage rubicond, son père trépassé donnait l'impression de retenir en lui une colère qui d'un instant à l'autre menaçait de s'abattre sur l'enfant.

Le Maire pria l'Instituteur de s'asseoir sur un des deux fauteuils dont les têtes étaient couvertes de napperons brodés. Il proposa une tasse de café ou un alcool, mais son hôte refusa les deux. Le Maire s'aperçut que l'Instituteur était nerveux, et cela l'amusa. Aussi prit-il tout son temps, lui demandant des nouvelles de sa femme, de ses fillettes, l'entretenant ensuite sur le temps étrange et la chaleur revenue, le laissant même seul pendant un moment, prétextant qu'en raison d'une prostate capricieuse, il lui fallait souvent aller aux toilettes, ce qui était rigoureusement faux.

Quand il revint, l'affolement de l'Instituteur avait encore crû.

« Et si nous parlions un peu de votre beau bateau ? demanda le Maire en souriant.

— Ah nous y voilà ! Vous m'avez fait venir pour cela ?

— Vos "*expériences*" sont-elles concluantes ?

— Quand elles le seront, vous en serez le premier averti, monsieur le Maire.

— Peut-on connaître leur nature ? »

L'Instituteur parut étonné de l'insistance de son interlocuteur. Il s'apprêta à bafouiller quelque chose, hésita et sonda le regard du Maire. Celui-ci semblait s'être rétréci. Son corps avait encore fondu. Ne demeuraient que ses yeux, d'une intense et fixe brillance, et qui fouillaient le visage de l'Instituteur, comme des crochets, comme s'ils cherchaient à entrer en lui, à inciser la peau, à forer l'os, à s'introduire sauvagement dans le crâne et à plonger dans la matière du cerveau pour y gaffer des pensées.

« Je m'étonne que tous vos espions ne vous aient pas encore renseigné. »

Le Maire ne releva pas la pique. L'Instituteur reprit son souffle. La phrase lui avait coûté beaucoup. Il en rougissait encore.

« Ce n'est pas une réponse, poursuivit le Maire résolu à ne pas le lâcher.

« — Après tout, je n'ai rien à cacher. J'œuvre au grand jour. J'étudie les courants.

— Les courants ? répéta le Maire en souriant.

— Les courants. Je veux comprendre comment les corps de ces hommes ont pu s'échouer sur la plage de l'île. Cela ne correspond à aucune logique.

— Car d'après vous, c'est la logique qui gouverne les mers ?

— Je parle de la logique physique : si un objet est jeté à l'eau à tel endroit, les courants marins le porteront à tel autre endroit. Les courants sont connus. Ils n'ont que d'infimes variations, selon les saisons, ce n'est pas à vous que je vais apprendre cela. J'ai refait le trajet que font les passeurs qui promettent à ces hommes contre des sommes extravagantes d'aborder sur le continent. J'ai largué des mannequins sur ce trajet, en différents points, dix au total. Aucun jusqu'à présent n'est venu s'échouer sur la plage. Aucun.

— La mer parfois prend son temps. Son rythme n'est pas celui des hommes, objecta le Maire qui commençait à ne plus sourire. Cela dit, je ne comprends pas ce que vous cherchez à prouver. »

L'Instituteur se permit pour la première fois de sourire. Il respirait comme s'il venait de courir un long moment et se tordait les mains. Le Maire attendait. La mécanique de cet homme n'était pas construite comme la sienne. Cet homme était un fou, gouverné par sa sensibilité, esclave de celle-ci. Il irait jusqu'au bout. Il en était certain désormais et venait de se rendre à cette évidence : rien ne pourrait l'arrêter. Sans doute l'Instituteur y voyait-il une sorte de mission. Un but supérieur qui lui permettait d'oublier sa condition misérable et passagère, son métier usant et peu gratifiant, sa vie terne ?

C'était ce genre d'hommes qui sortaient debout des tranchées durant les guerres, en hurlant pour entraîner les autres, indifférents aux balles qui sifflaient autour d'eux et fauchaient les corps. C'était aussi ce genre d'hommes qui dans leur quotidien n'auraient pas pu tuer une mouche mais qui au cours des révolutions envoyaient sans ciller leurs congénères à l'échafaud. C'était ce genre d'hommes trempant encore dans l'enfance et ses chimères mais qui au nom d'une croyance pouvaient massacrer sans remords ceux qui n'y adhéraient pas. Ils n'étaient pas faits pour le monde des hommes, qui est le résultat d'aménagements, de compromis et de concessions. Ce genre d'hommes ne pouvait produire que des idiots, des martyrs ou des bourreaux. Et le Maire n'avait aucunement l'intention de servir de victime.

« Vous le saurez assez tôt. Vous me permettrez maintenant de prendre congé, je dois préparer mes cours pour demain. »

L'Instituteur n'attendit pas que le Maire réponde. Il s'était déjà levé, salua d'une façon un peu théâtrale, peinant à cacher les tremblements qui agitaient ses lèvres et ses mains. On aurait dit un grand garçon très doux se retenant de pleurer à la suite d'on ne savait quel chagrin. Il sortit.

Le Maire resta encore un long moment, pensif et irrité, dans le fauteuil. L'horloge marquait près de lui les secondes dans un bruit de bois qu'on casse.

Il songea alors à un bûcheron minuscule, métronomique et infatigable, occupé invisiblement à poursuivre sa tâche. Puis la voix de sa femme s'éleva de la cuisine. Elle l'appelait pour le dîner. Il n'avait pas faim. L'Instituteur lui avait coupé l'appétit.

XI

Les vendredi 28 et samedi 29 septembre, il se passa deux faits notables qui agacèrent un peu plus encore les nerfs de certains : le vendredi, vers midi, deux enfants trouvèrent sur la plage un des mannequins de l'Instituteur. Ne sachant pas qu'il lui appartenait, ils avertirent le premier adulte qu'ils rencontrèrent : c'était le Curé. Il revenait de son rucher, portant dans deux seaux sa récolte de miel.

Celui-ci accompagna les enfants sur la plage, et quand il aperçut le mannequin, avec ses yeux débiles et ses lunettes inadaptées, il crut durant un instant que c'était là une sorte d'idole païenne. Il brandit devant la chose la croix de son chapelet, se signa et débita une prière, invitant les enfants à se joindre à lui.

Les deux garçons, un peu plus au fait que le Curé, lui firent remarquer que c'était un simple mannequin lesté dont on se sert dans les piscines pour l'entraînement des maîtres nageurs et des sauveteurs. Un tronc de taille humaine, aussi lourd qu'un corps, en matière plastique garnie de plomb. En le retournant, ils se rendirent compte qu'on avait tracé sur lui un message disant qu'en cas de découverte de l'objet, on était prié de prévenir une personne dont le nom était écrit sur le torse du mannequin : c'était celui de leur Instituteur. Il y avait aussi son adresse. Sur le ventre du mannequin était également noté un autre numéro, en chiffres romains, IX.

L'Instituteur était encore attablé avec sa femme et ses petites quand les deux enfants et le Curé couronné d'abeilles frappèrent à sa porte. Le Curé dit par la suite à qui voulait l'entendre que, lorsqu'ils lui racontèrent leur découverte, le visage de l'Instituteur se métamorphosa et que, sans même attendre la fin de leur récit, il s'en alla en courant vers la plage, oubliant même d'enlever la serviette qu'il avait nouée autour de son cou pour ne pas tacher sa chemise.

Les deux enfants s'en allèrent. Le Curé et ses abeilles restèrent encore un peu sur le seuil. La femme de l'Instituteur et leurs fillettes apparurent, les yeux emplis de questions. Le Curé résuma les faits. La femme poussa un long soupir.

« Il n'y a plus que ses mannequins qui comptent. Je ne sais pas ce qu'il lui prend. Je ne le reconnais plus.

— Je ne vous ai jamais vue à l'église, il me semble », dit le Curé myope, qui s'était rapproché du visage de la femme et tentait de le détailler. Une abeille s'était posée sur l'avant-bras de l'une des jumelles. Elle faisait son chemin d'insecte sur la peau jeune et fraîche. La petite n'était pas effrayée. Bien au contraire, avec son index elle se mit à caresser avec délicatesse le dos velu de la minuscule créature, qui curieusement se laissa faire.

« Je ne crois pas en Dieu, répondit la femme avec une voix plate, dans laquelle le Curé voulut lire comme un regret.

— C'est bien dommage. Il peut être d'un tel secours.

— Qui vous dit que j'ai besoin d'être secourue ?

— Qui oserait avoir l'orgueil d'affirmer ne pas en avoir besoin ? »

Puis la conversation prit un tour plus banal car le Curé avait abdiqué depuis longtemps toute tentative de convertir les athées. La religion le fatiguait. Lui-même, pensait-on, n'y croyait plus beaucoup. Il continuait à faire semblant pour ne pas laisser seules les ultimes brebis, qu'il avait choquées pourtant un jour dans un prêche en leur disant que Dieu était parti en préretraite.

« Il n'y a pas que les fonctionnaires des ministères de la capitale qui demandent à ne travailler qu'à soixante-dix pour cent quand ils sentent l'âge venir. Je crois bien que Dieu en a fait autant. Il est en cessation progressive d'activité. Et c'est de notre faute. »

Deux vieilles avaient quitté l'église dans un fracas de chaises. L'une d'elles avait même dénoncé le Curé et ses propos sacrilèges à l'évêque dans un courrier encombré de fautes et d'eau bénite. Mais l'évêque avait sans doute d'autres chats perdus à fouetter et la bigote n'avait jamais reçu de réponse.

Le Curé ne put s'empêcher de donner aux fillettes un cours abrégé d'apiculture. Il prit congé après avoir versé un peu de son miel dans un bol qu'il avait demandé à l'une d'elles d'aller chercher.

Au retour de la plage, l'Instituteur marchait vite, malgré le poids du mannequin qu'il serrait dans ses bras à la façon d'une partenaire de danse. Il avait toujours sa serviette autour du cou. Amérique le rattrapa avec la carriole et son âne. Il proposa à l'Instituteur de monter avec son engin. Le soleil éclairait la scène et des vignes alentour montait l'odeur sucrée des grappes de raisin qui séchaient lentement sur les murets de pierre.

« Je suis presque arrivé. Ça ira. Merci.

— Vous allez vous marier avec ? Celle-là au moins ne sera pas emmerdante ! »

L'Instituteur ne réagit pas à la plaisanterie et laissa Amérique seul avec son rire. Celui-ci roula encore un peu en silence au côté de l'Instituteur qui commençait à montrer des signes de fatigue, puis il haussa les épaules et fouetta le dos de l'âne qui sans renâcler se mit au petit trot.

Plusieurs élèves de la classe rapportèrent que cette après-midi-là l'Instituteur n'était pas dans son état normal. Il donna à tous un travail silencieux d'une longueur telle que les plus petits finirent par s'assoupir sur leurs pupitres et les plus grands à s'ennuyer et à rêvasser.

Il les oublia pendant la récréation, les laissant dans la cour faire un tapage épouvantable, ne se rendant même pas compte du vacarme tant il était absorbé à écrire on ne savait quoi, mais sans doute pas des poèmes, sur son petit carnet, tout en jetant de temps à autre des regards au mannequin qu'il avait posé près de son bureau, dans un angle de la classe, sous le tableau, et mesurant des distances sur une grande carte marine qu'il avait déployée devant lui.

Ce soir-là, il travailla tard. Le Spadon rapporta au Maire que la lumière était restée allumée chez lui jusqu'à deux heures du matin.

« Je me suis gelé dans la ruelle.

— Je te paie pour cela.

— Sauf votre respect, vous me payez pour pêcher.

— Alors dis-toi que c'est une forme de pêche. Ça te va comme ça ? »

Le Spadon se tut et tenta de comprendre ce que le Maire venait de dire. Personne ne fit de commentaires. On était le samedi. Il était tôt. Sept heures. Le Maire avait convoqué chez le Docteur, la Vieille, le Curé, Amérique, et le Spadon. Tous étaient là. Ils s'étaient assis dans la salle d'attente. Le Docteur les rejoignit. Il portait un plateau sur lequel il avait disposé des tasses de café. Il souriait, comme à son habitude car jamais il ne se départait de son sourire, même quand il annonçait un mal incurable ou l'approche de la mort. C'était comme un masque. Personne ne savait au juste ce qu'il y avait derrière.

« Bon, commença le Maire en faisant une grimace après avoir bu d'un trait le café brûlant et reposé sa tasse sur le plateau, si je vous ai demandé de venir, c'est que j'ai besoin de vous. Besoin de vous pour comprendre. »

À la suite de cette introduction, et sans quitter sa grimace, dont on finit par se demander si c'était le café trop chaud ou trop fort qui en était responsable ou les mots qui sortaient de sa bouche, il détailla les activités de l'Instituteur durant les trois dernières semaines, revenant sur des éléments que chacun savait déjà, en ajoutant d'autres qui n'étaient connus que de certains et que ceux-là mêmes lui avaient rapportés. Il termina par les événements de la veille, le mannequin échoué sur la plage, l'après-midi à l'école, l'intense activité d'écriture de l'Instituteur, son coucher tardif. Le Spadon poussa un long bâillement, comme pour accréditer ce dernier point.

« Voilà où nous en sommes », conclut-il en serrant ses poings et en martelant ses maigres cuisses.

Il y eut alors un silence. La pièce s'emplit de l'odeur un peu écœurante des haleines chargées de café.

« Tu dis que tu as besoin de nous pour comprendre, mais tu ne dis pas la vérité. »

C'était la Vieille qui avait parlé, de sa voix rauque encombrée de gravier, dont tous ceux qui étaient présents ce matin-là, à l'exception du Curé qui dès son jeune âge avait été envoyé sur le continent dans une école de curés, avaient le souvenir car elle les avait fait trembler durant les longues années d'enfance.

« Tu es malin, reprit-elle. Tu l'as toujours été. Ce n'est pas pour comprendre que tu as besoin de nous, c'est pour partager.

— Partager ? Partager quoi ? jeta le Maire qui surjouait l'ahuri.

— Ton fardeau. Ce que tu veux, ce n'est pas que nous t'aidions à comprendre mais que nous t'aidions à porter. Tu comptes sur nous pour te soulager. »

Le Spadon et Amérique échangèrent des regards perdus. Tout cela les dépassait. C'était de la philosophie. Cela faisait davantage mal à la tête que la plus grosse des cuites. Le Docteur souriait et savourait son café. Le Curé avait le visage tourné vers le plafond. Il paraissait tout à fait étranger à la scène.

« Vous parlez chinois ! jeta le Maire.

— Ne te moque pas. Tu sais très bien ce que je veux dire. Tu ne veux pas être seul. Tu préfères qu'on se noie tous ensemble. Tu veux nous entraîner avec toi. En nous disant tout ce que tu sais, tu fais de nous des complices.

— Il n'y a pas eu de crime, que je sache !

— Pas encore. Mais il y a trois morts déjà. »

Soudain, au même moment, une rumeur pénétra dans la salle d'attente. C'était comme un grondement de train qui arrivait dans le lointain, progressait avec une allure lente mais s'amplifiait à mesure, se coulant dans les murs, dans le sol, s'insinuant dans le pied des chaises, remontant leurs arêtes pour pénétrer dans les corps qui y étaient assis et diffuser en eux une sourde vibration. Au même instant, les tasses reposées sur le plateau se mirent à chanter et le plateau lui-même parut s'animer comme si l'esprit d'un serveur défunt tentait de le saisir pour l'emporter en cuisine. Le Curé se signa et commença à psalmodier une prière. Les autres ne parurent ni surpris ni apeurés. Ils attendirent. La rumeur roula encore durant une dizaine de secondes puis elle disparut.

Le *Brau* était retourné à son sommeil.

« Cela faisait longtemps ! dit Amérique que le silence gênait plus que la terre qui tremble.

— Quatorze mois et trois jours », précisa le Docteur qui tenait scrupuleusement, pour lui seul, sans profit ni enseignement, le registre des soubresauts du volcan. Puis sans transition il revint à la conversation première.

« Nous ne pouvons nier à l'Instituteur son sérieux et sa persévérance. C'est un homme de savoir, et il est juste qu'il cherche les moyens de parfaire ses connaissances, d'éclairer les zones obscures. Que l'Instituteur cherche à comprendre pourquoi les corps de ces hommes se sont échoués sur notre île, après tout, c'est son droit. Ce qui deviendrait gênant, c'est s'il lui prenait l'envie de partager ses découvertes, de les mettre par écrit, de les glisser dans une enveloppe et de les envoyer.

— À qui ? coupa le Maire.

— À d'autres que nous.

— Pourquoi il ferait ça ? » demanda le Spadon à qui cette conversation matinale, dans la salle d'attente qui avait toujours été un lieu qu'il n'aimait guère, synonyme de blessures et de maux en tous genres, faisait tourner le cœur.

« Par vanité, dit le Curé.

— Par orgueil, dit la Vieille.

— Par bêtise, dit le Maire.

— Par innocence », dit le Docteur.

Seul Amérique n'avait rien dit. Le Spadon se tourna vers lui, attendant un mot pour conclure la rafale, mais le mot ne vint pas. Amérique se contenta d'ouvrir ses mains et de montrer ses paumes vides, dans un geste d'impuissance. Le Spadon regarda les lignes incrustées de ciment et de crasse qu'on y voyait. Il se rappela que certaines voyantes prédisaient l'avenir en les lisant. Il tenta le coup mais n'y vit que des traits, des hachures, des formes géométriques écrasées les unes contre les autres. Du chaos. De la confusion. Rien du tout en somme.

On se sépara sans avoir avancé et sans avoir rien décidé non plus. Mais qu'y aurait-il eu à décider ? La Vieille ne devait pas avoir tort dans les propos qu'elle avait tenus au Maire. Ce que lui voulait, c'était bien leur faire sentir qu'ils étaient tous liés les uns aux autres, et que le temps avait beau les éloigner du matin de la découverte macabre, ces mêmes corps les lestaient toujours comme une gueuse. L'un d'entre eux ne voulait pas seul en supporter la gêne. Il leur fallait à tous partager le fardeau.

XII

Le même jour, en milieu de matinée, le ferry entra dans le port après avoir corné comme à son habitude trois coups quand il était en approche.

Les passagers étaient rares : quelques habitants partis régler des affaires sur le continent et qui s'en revenaient. Pilule, un employé de pharmacie affligé d'un pied bot et d'un teint hépatique, qui apportait au Docteur sa commande hebdomadaire. Deux femmes âgées qu'on surnommait les Sœurs, sans trop savoir si elles l'étaient vraiment, qui venaient visiter chaque année à même époque une de leurs cousines et qui restaient jusqu'à Noël, et puis un inconnu entre deux âges, ni grand ni petit, ni gros ni maigre, ni jeune ni vieux, qui semblait une incarnation parfaite de la banalité, un de ces hommes qu'on ne remarque jamais, que les serveurs de cafés oublient malgré leur doigt levé et insistant, et dont les femmes ne perçoivent pas l'existence même si elles se font frôler par eux.

L'homme portait une valise comme en possédaient les voyageurs de commerce quand les voyageurs de commerce étaient encore une espèce humaine qui arpentait le monde.

Il descendit en dernier l'escalier du ferry et se retrouva sur le quai, prenant la mesure des lieux. Il n'était pas difficile de comprendre, à ses regards et sa légère hésitation, qu'il mettait pour la première fois le pied sur l'île. Quand l'homme se rendit compte qu'il n'y avait qu'un seul café sur le port, et que son choix s'en trouverait donc limité, il se dirigea vers lui.

Les quelques pêcheurs attablés discutaient du prochain *S'tunella*, des espérances liées à lui, des supputations, du moment précis où il leur faudrait partir, car chacun était encore dans l'attente du signal du départ.

Chaque année, ce dernier est donné par un cénacle réduit et officieux, constitué des plus vieux pêcheurs de l'île, qui se retrouvent un jour sans s'être vraiment concertés tout au bout de la jetée, sur le dernier banc face à la mer, comme certains animaux perpétuant des rituels immémoriaux d'amour, de chasse et de mort se retrouvent en certaines places, guidés par leur sang, leurs instincts et leurs désirs.

On guettait ce moment. Lorsqu'on les voyait se diriger vers ce banc, qu'aucun ici n'aurait osé occuper à cette période, l'atmosphère de la ville se chargeait de particules électriques. On les surveillait de loin, parfois même à la jumelle. On murmurait. On essayait de deviner ce qu'ils pouvaient se dire. On attendait leur parole, qu'ils livraient avec une notable parcimonie et un sens efficace du raccourci, et qui suffisait à transformer le petit port jusqu'alors assoupi en un espace soudain vibrionnant encombré de cris, de mouvements et de couleurs.

La porte était ouverte. L'homme entra, salua les clients qui le regardèrent sans lui répondre, ce qui ne parut pas le contrarier. Il remarqua dans un angle au fond un curé en soutane, la tête penchée sur un journal sportif qu'il essayait de lire au travers de lunettes à gros verres en chassant avec délicatesse des abeilles qui voletaient et se posaient à tour de rôle, comme des avions dans de grands aéroports encombrés, sur les pages du quotidien. L'homme s'approcha du bar, posa sa valise à ses pieds :

« Un verre de vin du pays. »

Seul un étranger parle ainsi. Jamais un habitant de l'île ne s'exprimerait de cette façon, il demanderait simplement un verre de vin, puisque le seul vin que l'on sert ici est le vin de l'île. Chacun refuserait d'en boire un autre. C'est une question d'honneur.

Le Cafetier ne fit aucune remarque. Il saisit un verre et une bouteille. Il fit couler le vin dans le verre, et l'homme parut admirer sa couleur presque noire aux reflets amarante. Il posa un billet qu'il avait sorti de sa poche de pantalon, respira le vin avant de le porter à ses lèvres.

Les clients ainsi que le Cafetier se désintéressèrent de lui et retournèrent, les premiers à leurs basses conversations, le second à ses comptes qu'il effectuait avec douleur si on en jugeait à son front soucieux et au crayon qu'il mâchouillait entre ses dents jaunes. L'homme prit son temps pour boire son verre, et quand il eut fini, il en commanda un autre. Et lorsque le Cafetier s'approcha de nouveau avec la bouteille, il lui dit alors qu'il cherchait une chambre pour quelques jours. Il avait à faire ici.

« Au sujet du projet des Thermes ? demanda le Cafetier.

« — Les Thermes ? Oui, bien sûr, répondit l'homme, évidemment les Thermes. Quoi d'autre ? »

Il avait senti qu'il n'en fallait pas davantage pour rassurer son interlocuteur.

« Il n'y a pas d'hôtel sur l'île, mais si vous n'êtes pas difficile, j'ai une pièce avec un lit et une salle d'eau. C'est à deux pas. Je peux vous montrer. »

L'homme suivit le Cafetier qui avait décroché une clé d'un tableau derrière le comptoir. Ils marchèrent une vingtaine de mètres plus loin jusqu'à un rideau de fer qui témoignait de la présence d'un commerce fermé depuis longtemps déjà.

« Une mercerie, expliqua le Cafetier à l'homme. Ma mère la tenait. La boutique ne lui a pas survécu. J'ai réaménagé l'intérieur. Je la loue parfois à des saisonniers qui viennent pour la récolte des câpres, ou à des pêcheurs aussi, quand nos hommes n'y suffisent pas. »

Il souleva le rideau, ouvrit la porte qui avait conservé son grelot. La pièce était carrée, les murs badigeonnés de blanc. Deux lits d'une place, chacun contre un mur, une petite table près de la vitrine où pendait un rideau en nylon à motifs de palmiers et d'ananas, une armoire dans un angle et une porte au fond, derrière laquelle se trouvaient le W.-C. et le lavabo. Le sol était fait de gros pavés de lave, inégaux, que des milliers de pieds avaient poncés. L'humidité au bas des murs dessinait des atolls d'un vert phosphorescent.

La seule décoration était une photographie accrochée au-dessus d'un des deux lits. En noir et blanc, dans un cadre en plâtre doré, gargouillant et bouffi, elle représentait une vieille femme à chignon qui louchait légèrement.

« Ça vous ira ?

— Ce sera parfait », dit l'homme.

Le Cafetier annonça le prix. L'homme insista pour payer d'avance une semaine entière.

« Vous pourrez prendre le petit-déjeuner au café. J'ouvre tôt. Pour les repas, ma femme cuisine pour certains. Si ça vous tente, il faut me le dire un peu à l'avance. Je suppose que vous voulez voir le Maire ?

— J'allais vous le demander.

— À cette heure vous le trouverez à la mairie. Il tient sa permanence. Vous prenez la première ruelle sur votre gauche en sortant. Vous allez jusqu'à l'église, que vous laissez sur votre droite. Vous arrivez à une petite place. La mairie est là. Vous ne pouvez pas vous perdre. De toute façon, il y a les drapeaux. »

Le Cafetier sortit. L'homme lui avait dit qu'il serait inutile de venir faire le ménage. Il se débrouillerait seul. Il posa sa valise sans l'ouvrir, s'assit sur un lit et alluma une cigarette. Il sortit de sa veste une flasque plate en métal argenté et but une longue gorgée. Il fuma en regardant la photographie. Il ne la quitta pas des yeux et, après avoir écrasé son mégot dans un cendrier jaune offert par une marque d'apéritif, il décrocha le cadre et le lança sur le dessus de l'armoire.

XIII

Le Docteur était là quand l'homme arriva à la mairie. L'homme le salua et salua la Secrétaire. Il voulut être reçu par le Maire et quand elle lui demanda à quel titre et pourquoi, il se pencha par-dessus le comptoir qui la séparait d'elle et lui glissa quelques mots à l'oreille que le Docteur n'entendit pas mais qui la firent aussitôt prendre un air grave, regarder le visiteur avec appréhension et se diriger vers le bureau du Maire où elle frappa trois fois, attendit, vérifia sa tenue, replaça un pan de son chemisier qui sortait de sa jupe, replaça ses gros seins dans les balconnets de son soutien-gorge, tapota ses cheveux, se retourna vers l'homme et disparut en refermant la porte sur elle après que le Maire lui avait dit d'entrer.

Quelques secondes plus tard, le Maire sortit précipitamment de son bureau, la Secrétaire sur ses talons. Il se dirigea vers l'homme en lui tendant la main tout en affichant un visage sur lequel il ne prenait même pas la peine de dissimuler son inquiétude. Il le pria de le suivre. Il se souvint alors seulement du Docteur.

« Nous nous verrons plus tard. Je t'expliquerai. »

L'homme était un policier, d'une espèce particulière, solitaire et sans attache réelle. On ne lui confiait que des missions discrètes, au cours desquelles il avait une totale amplitude d'action. Il était en quelque sorte son propre maître et il avait tout son temps. Ce qui importait à ses yeux et à ceux de sa hiérarchie, c'était la réussite, et elle avait toujours un prix. Les domaines dans lesquels il intervenait étaient souvent sensibles et nécessitaient tout à la fois du tact et de la patience. Que le Maire se rassure, il n'essayait pas de lui faire comprendre qu'il appartenait à un quelconque service secret, pas du tout, et comme pour le prouver, il sortit de son portefeuille une carte sur laquelle apparaissait une photographie légèrement délavée et jaunie, d'un homme jeune qui ne lui ressemblait guère mais qui avait dû être le Commissaire. Il rangea la carte avant même que le Maire, qui avait pourtant tendu la main, pût la saisir et l'examiner.

« Vous le voyez, un simple policier. Vous vous demandez sans doute ce que je viens faire chez vous ? demanda le Commissaire au Maire qui sentait son corps se tendre et son cœur ralentir.

— Oui.

— Vous n'en avez pas la moindre idée ?

— Non », s'étouffa le Maire en essayant de conserver un visage neutre, mais il était peu doué pour la comédie et même un imbécile aurait pu alors comprendre que mille idées se bousculaient dans sa tête.

« Vous ne voyez vraiment pas ? » insista le Commissaire, mettant le Maire à la torture.

Et comme pour ajouter encore à la souffrance de l'élu, il se leva, et entreprit de marcher un peu dans le bureau, comme s'il était chez lui, et après tout, ces pas sans but, cette marche souple, n'avaient pas d'autre fonction que de dire cela, de faire comprendre qu'il prenait soudain possession du lieu, que c'était lui désormais qui devenait le maître et allait mener la danse dans laquelle il s'apprêtait à entraîner le Maire, et avec lui toute l'île si le cœur lui en disait.

« Votre visite a un rapport avec le projet des Thermes, peut-être ? osa le Maire.

— Les Thermes ? Ah oui, les Thermes, on m'en a déjà parlé. Convenons vous et moi, si c'est plus simple pour vous, que je suis ici en effet pour ce projet. Ma démarche véritable ne doit pas être connue de l'ensemble de vos concitoyens. Vous pourrez me présenter ainsi si vous avez à le faire, mais vous n'y êtes pas le moins du monde. Je me contrefous de votre thermalisme, vous m'entendez ? Je m'en tamponne. J'ai toujours eu horreur de ça. La vision de curistes déambulant toute la journée en peignoir éponge et buvant de grands verres d'une eau chaude qui empeste l'œuf pourri me déprime. Mais si cela vous plaît, grand bien vous fasse ! Développez votre projet ! Transformez votre île moribonde en clinique pour fantômes chlorotiques, ce n'est pas mon affaire. Dites, vous n'auriez pas quelque chose à boire, du vin, ou un alcool ? Oui, un alcool fort, ce serait mieux. Sans vous commander bien sûr. »

Plus tard, quand le Maire vint chez le Docteur pour lui raconter l'entrevue, il lui avoua avoir eu envie d'étrangler le Commissaire.

« Il est comme les oisillons de corneilles que nous allions chercher dans les nids quand nous étions enfants, tu te souviens ? Des petits corps insignifiants, rosâtres, chauds, sans grâce ni beauté, vulnérables. On ne les soupçonnait pas mauvais ni venimeux, mais tu te rappelles comme ils se mettaient à nous pincer jusqu'au sang lorsque nous les prenions dans nos mains. Eh bien ce policier, c'est tout comme. Sous son allure d'employé des postes, c'est une murène qui sommeille. Il va nous faire suer tant et plus, je te le jure. On n'est pas près de s'en débarrasser. Et ses manières. Je ne supporte pas ses manières, sa voix, ses mots. Tu sais comment il a parlé de notre île ? »

Le Maire avait fini par trouver dans un tiroir une bouteille d'anisette dont il se demanda bien comment elle avait pu arriver là, car lui n'en buvait jamais. Il en versa un verre au Commissaire, et en mit deux gouttes dans un autre verre, pour lui, par politesse. Il ne supportait pas cet alcool poisseux au goût de fenouil et de médicament. Ils trinquèrent. Le Commissaire but d'un trait. Il tendit de nouveau son verre. Le Maire fut obligé de le remplir.

« Je n'aime pas le thermalisme, vous l'avez compris, mais je n'aime pas les îles non plus. Une grande île est toujours trop petite pour moi. C'est l'idée même de l'île qui m'est insupportable. Être entouré d'eau. Je suis un individu continental. J'aime savoir le matin quand je me lève qu'il me suffit de prendre ma voiture, de rouler et que, quelques jours, quelques semaines plus tard, je peux être à Vienne, à Moscou, à Bakou, à Delhi, à Pékin pourquoi pas. Je n'aime que la terre ferme. Je n'aime pas l'eau, salée ou douce. Je n'aime pas les îles. Je n'aime pas votre île, qui n'a même pas l'excuse d'être une grande île. On pourrait la faire disparaître des cartes, qui s'en plaindrait ? Vous autres ? Mais est-ce que vous comptez ? Quelques centaines d'humains sur près de sept milliards. Je vous laisse calculer le pourcentage. C'est sans doute mille fois moins que le seuil de perte dont on s'accommode dans n'importe quelle industrie. Si je viens ici, c'est par nécessité. Mais je n'aime pas être là, de même que je sens que je commence à ne pas vous aimer. Au fond, je n'aime pas grand-chose. Je n'aime pas la société. Je n'aime pas mon pays ni mon époque. Je n'aime pas l'espèce humaine pas plus que je n'aime aucune espèce animale. La seule chose que j'aime sans réserve, intensément, obsessionnellement, c'est mon métier. Oui, j'aime mon métier. Et puis boire aussi. Sans être à proprement parler un alcoolique, je bois beaucoup, et sans même jamais être ivre. Mon médecin ne comprend pas. »

Il vida de nouveau son verre. Il s'empara de la bouteille. Se resservit. S'assit en posant une fesse sur le bureau du Maire.

« Vous devez me trouver mal élevé. Sans manières. Dites-vous bien que je le suis et que je m'en fous. Je me fous totalement de ce que vous pensez et penserez de moi. Je ne suis pas ici pour me faire aimer. Je suis ici pour trouver un os, pour le déterrer, le ronger un peu pour en connaître le goût, et le rapporter si je le juge nécessaire à ceux qui m'ont envoyé chez vous. Mais je suis irrité de devoir être là. Sur une île. Je me demande comment on peut vivre dans une île, et surtout dans une île comme la vôtre, si misérable et si vilaine. Noire, austère, sans beauté. Je n'en avais jamais entendu parler, pour vous dire. C'est le trou du cul du monde, monsieur le Maire. On m'avait dit que le téléphone portable ne passait pas, qu'il n'y avait aucun réseau Internet. Je croyais qu'on se moquait de moi.

— C'est en raison du classement de l'île au patrimoine mondial de l'humanité. Aucune antenne ne peut être implantée.

— Patrimoine mon cul ! Il est beau le patrimoine ! Elle est belle l'humanité ! Les femmes et les hommes que j'ai croisés depuis que je suis arrivé sont tous affligés d'une malformation, de strabismes, d'oreilles décollées, ou de nez gigantesques, de membres trop longs, de dentures impossibles. Le cafetier qui me loge a six doigts à chaque main. Six doigts ! Vous avez déjà vu ça souvent, vous ? Des dégénérés ! Vous-même, monsieur le Maire, on dirait que vous n'êtes pas tout à fait fini. Vous avez le corps d'un enfant et une tête de vieillard. »

Le Maire confessa au Docteur après avoir vidé d'un trait son verre de marc qu'il avait été à deux doigts de casser la gueule à l'homme. Qu'on ne lui avait jamais parlé ainsi depuis l'école primaire et les bagarres dans la cour. Mais il ne pouvait pas oublier que l'homme était un policier, et que même un maire insulté ne peut donner une correction à un policier, et qui plus est un commissaire.

« J'ai préféré me convaincre que j'avais mal entendu, ou qu'il était totalement ivre, malgré ce qu'il avait prétendu. Je me suis retenu. Je lui ai dit que dans notre trou du cul du monde comme il disait, nous n'étions pas tout de même coupés de tout. Nous avions la télévision. »

« La belle affaire ! La télévision ! Mais nous sommes au XXIᵉ siècle ! Réveillez-vous ! Vous pensez pouvoir vivre longtemps en dehors du monde ? Tenez, c'est justement le XXIᵉ siècle qui m'amène. »

À partir de cet instant, le Commissaire se lança dans une tirade échevelée. Il parla au Maire pendant une demi-heure, en vidant la bouteille d'anisette, et le Maire se demandait bien où voulait en venir cet énergumène tout droit sorti d'un spectacle de clown conçu par un fou.

« Les gens n'imaginent jamais vraiment ce qu'ils ont au-dessus de leurs têtes. Pendant des millénaires, ils y ont logé Dieu. Ça les arrangeait. Ils étaient en bas. Ils suaient sang et eau. Et au-dessus, il y avait Dieu sur son nuage, qui les créait, les regardait, les sauvait ou les perdait. Et puis l'homme s'est cru malin. Il a délogé Dieu. L'a fichu à la poubelle. A vécu quelque temps grisé par son petit meurtre, puis s'est rendu compte du vide qu'il avait créé. Le propre de l'homme est de toujours agir trop vite. Toujours. Ça a commencé à lui faire peur, tout cet espace vacant. Il a essayé de réchauffer de vieux plats, mais tout avait un goût de brûlé. Là, il a eu vraiment peur. Il s'est réfugié dans la seule chose qui lui restait : le Progrès. Remarquez, ça existe depuis la nuit des temps. Donnez du feu, du fer et un marteau à un homme, il va en deux temps trois mouvements forger une chaîne pour attacher un autre homme qui lui ressemble comme un frère et le tenir en laisse, ou une pointe de lance pour le tuer, plutôt que fabriquer une roue ou un instrument de musique. La roue et la trompette, ça arrive bien plus tard, beaucoup plus tard après la chaîne et la pointe de lance, entre-temps on s'est déjà beaucoup massacré. Et si la roue a été inventée, c'est uniquement pour porter plus loin le massacre, comme la marine à voile, pour que tout le monde en profite, et la trompette n'a servi qu'à couvrir les hurlements de ceux qu'on assassinait et à célébrer les boucheries. Point final. Et puis maintenant, nous avons les satellites ! »

Le Maire écoutait, stupéfait, la péroraison de l'homme sans relief, en se demandant s'il ne rêvait pas la scène, s'il n'était pas dans un roman, s'il n'était pas au cœur de la nuit, dans son lit, avec sa femme en longue chemise rose à ses côtés, son parfum de savon et de lavande, et le vent de la mer au-dehors qui fredonnait dans les ruelles, livré à un cauchemar comme il en faisait de temps à autre et qui le laissait au matin dubitatif et songeur.

« Je me suis même pincé. Mais non, je ne dormais pas : j'étais bien dans mon bureau avec ce dément sorti de nulle part, qui m'avait fichu la paix pendant les soixante années que j'ai vécues jusqu'ici et dont j'ignorais l'existence pour mon plus grand bonheur, qui me parlait des satellites, qui essayait de me convaincre que Dieu, en comparaison des satellites, c'était de la pisse de chat. Qu'on avait grâce aux satellites élevé à la puissance 14 l'idée de Dieu. »

Le Docteur souriait. Son sourire énervait plus encore le Maire, même s'il savait que ce sourire n'avait aucune signification. Qu'il ne signifiait pas que le Docteur souriait de lui. Que c'était sa façon à lui de présenter son visage, comme lui-même le Maire le présentait avec l'expression d'une perpétuelle contrariété et d'un agacement notable y compris dans les moments, rares il est vrai, où il était heureux et détendu.

Il faut reconnaître que le Maire avait eu bien de la patience avec le Commissaire, ne l'interrompant à aucun moment tandis qu'il lui assénait un ragoût verbeux sur la puissance et le génie des satellites, dans lequel les ingrédients scientifiques se mariaient aux divagations métaphysiques. La terre était sur écoute. Le monde sous surveillance. Les hommes naïfs et crédules, idéalistes et aveugles, descendaient dans les rues pour manifester dans les démocraties contre la restriction des libertés fondamentales, le droit au respect de la vie privée et autres fariboles de la même eau. Ils signaient des pétitions, des tribunes, interpellaient leurs députés en ce sens, alors que le moindre de leurs faits et gestes, leurs déplacements, leurs paroles, étaient observés à chaque seconde et qu'il suffirait de beaucoup d'argent et d'une volonté politique qui n'était pas encore à l'œuvre pour que la vie de chacun soit enregistrée et archivée dans ses moindres détails. À toutes fins utiles. On pouvait imaginer lesquelles.

Suite à cela, le Commissaire, après un coup d'œil triste à la bouteille d'anisette résolument vide qu'il avait lancée dans la poubelle, retourna s'asseoir face au Maire, plongea la main dans sa serviette, en sortit une liasse d'une vingtaine de feuilles qu'il lança sur le bureau avec un mouvement désinvolte du poignet.

« C'étaient juste des photocopies. Des photocopies de photographies couleurs. Au début, je n'ai rien compris. Sur les premières, il y avait du bleu, des bandes ocre aux contours irréguliers, des points plus sombres de tailles inégales, des traits rouges qui reliaient certaines de ces figures. On aurait cru la reproduction d'un tableau abstrait.

« Sur les suivantes, il y avait moins de bleu, et plus de points sombres, et toujours des lignes rouges et des points très petits entourés en vert. C'est là que j'ai reconnu la gueule ouverte du *Chien*. C'était des prises de vues aériennes, ses fameux satellites sans doute, de l'*Archipel*, de toutes les îles, de la nôtre bien sûr, que je n'avais jamais vue comme ça, à la verticale, comme si j'étais subitement devenu cet œil de Dieu dont le Commissaire avait parlé.

« Certaines sont d'une précision démoniaque. On y reconnaît les vignes, les maisons, l'église. On voit des vignerons, des paysans dans les vergers, et sur le port des groupes de femmes et d'hommes. D'autres photographies montrent des bateaux en mer. J'en ai reconnu certains qui sont de chez nous, d'autres que je ne connais pas. »

Le Maire marqua un temps, lança un regard contrarié au Docteur, se tordit les doigts et reprit.

« Et puis il y a des bateaux qui ne méritent même pas ce nom, des sortes de barges avec un chargement que j'ai pris dans un premier temps pour du bois, des sortes de madriers serrés les uns contre les autres. On ne voit même pas de poste de pilotage. On a l'impression qu'on a chargé une barge, qu'on l'a lancée sur l'eau, sans se préoccuper de ce qu'elle allait devenir ensuite. Une des photos de ces embarcations m'a donné des frissons parce que j'ai soudain compris : ce que je prenais pour du bois, c'étaient des

106

hommes. Des hommes debout, ou couchés, enchevêtrés, entassés sur des rafiots, et certains de ces rafiots étaient tirés par des bateaux, des bateaux de pêche. »

Le Maire attendait que le Docteur réagisse. Qu'il dise un mot. Qu'il l'aide. Mais le Docteur gardait le silence, sirotait son verre de marc et roulait un cigare entre ses gros doigts, hésitant à l'allumer, retardant encore un peu le plaisir d'approcher la flamme, d'aspirer les premières bouffées, de sentir dans sa bouche le brouillard de fumée chaude qui allait y laisser durablement son goût de forêt, de terre humide et de feuilles mortes.

« Tu ne dis rien ?

— Qu'est-ce que tu veux que je dise ?

— Est-ce que tu comprends au moins ?

— Je crois que je commence à comprendre.

— Et cela ne te fait pas peur ? »

Le Docteur leva les sourcils. Se gratta la moustache qui à cette heure de la journée, le tout début de l'après-midi, était encore d'un noir intense.

« Ne prends pas cela pour une fanfaronnade, mais je ne sais pas ce qui pourrait me faire peur. C'est un sentiment que je ne connais plus, la peur. Je ne m'en vante pas. Je n'ai même pas eu à faire d'effort pour qu'il en soit ainsi. La dernière fois que j'ai eu peur, c'est lors de la maladie de ma femme. Et la peur ne m'a servi à rien. Elle n'a pas arrêté la maladie. Elle n'a pas rendu ma femme moins triste. Elle ne l'a pas empêchée de souffrir et elle ne m'a pas déchargé de ma peine quand elle est morte. »

Le Maire fut soudain ennuyé que le Docteur évoque sa femme. Il revoyait sa figure douce, ses grands yeux noirs dans son visage pâle. Il fut irrité de sa propre sensiblerie et reprit avec colère :

« Mais je ne te demande pas si tu as peur pour toi ! Mais si tu as peur pour nous, pour la communauté, pour l'île, pour ce que nous avons fait ? »

Le Docteur n'y tenait plus. Il alluma son cigare. Il le fit avec cérémonie car il considérait que c'était là une des choses les plus sérieuses qui existaient dans sa vie. Un protocole, ou un hommage. Ou les deux réunis. Il téta quelques bouffées, rejeta la fumée, sourit plus encore.

« Et pourquoi aurais-je peur pour nous, comme tu le dis ?

— Je crois que tu n'as pas bien compris. Je pensais que tu avais deviné. Tu sais ce qu'il y a sur une de ses putains de photographies prises par ses satellites de malheur ?

— À en juger par la façon dont tes yeux tentent de sortir de leurs orbites, et dont ton cou se gonfle, je sens que je vais le savoir très vite.

— Eh bien il y a nous. Nous ! Le fameux matin, sur la plage ! On nous reconnaît parfaitement. Comme si une des mouettes qui nous survolaient avait appuyé sur le déclencheur. C'est effrayant ! On distingue la Vieille, son chien, le Spadon, Amérique, moi ! Tu te rends compte que ces saloperies volent à des centaines de kilomètres dans le ciel et c'est comme si elles nous regardaient par le trou de la serrure ! Je n'en reviens pas ! Putain de monde !

— Et moi ?

— Quoi toi ?

— On me voit ?

108

— Bien entendu qu'on te voit ! Surtout toi d'ailleurs ! On ne peut pas te rater, tu prends tellement de place. Et à nos pieds, il y a la bâche.

— La bâche ?

— La bâche. La bâche bleue. La bâche d'Amérique. Et on se rend bien compte qu'il y a quelque chose en dessous.

— On le distingue, ce quelque chose ?

— Non. Mais ça ne veut rien dire. Il a sans doute d'autres photographies sous le coude, qu'il ne m'a pas montrées. Va savoir ! Ce genre de type n'abat pas toutes ses cartes d'un seul coup. »

Le Maire se tut. Le Docteur s'entoura de la fumée de son cigare. Ils restèrent ainsi un long moment, sans plus rien se dire, ce qui n'était guère dans leurs habitudes.

XIV

Ce qui tendit encore un peu plus la corde ce jour-là se passa à la fin de la messe de la bénédiction des bateaux, qu'on nomme ici familièrement « la Messe du Thon », quand l'Instituteur aborda le Maire.

Il est de coutume que le Curé vienne sur le port et bénisse chaque embarcation qui partira pour le *S'tunella*. Autrefois, il s'agissait d'une procession grave et somptueuse, qui partait de l'église dès le début de l'après-midi, au son de la fanfare communale : chaque bateau de pêche avec son équipage se mettait sous la protection d'une sainte ou d'un saint et entretenait un autel à sa gloire qui sommeillait dans un bas-côté de l'église tout au long de l'année, et qu'on ressortait ce jour-là, après avoir astiqué son or et son argent, après l'avoir fleuri, après avoir ravivé les couleurs de la figurine sainte, en plâtre, avec un peu de peinture rose, souvent la même qui servait à entretenir la coque des bateaux.

Les pêcheurs portaient eux-mêmes l'autel, d'un poids biblique, et la procession passait avec lenteur et piété dans les ruelles de la ville, se dirigeait vers le port, où le prêtre faisait son office à coups d'eau bénite, avant de repartir sur le même rythme de

111

lenteur et de prières, vers l'église, au son de la fanfare exténuée qui jouait de plus en plus faux, en raison de la fatigue et de tous les verres de vin qu'on lui offrait à chaque arrêt.

L'église une fois atteinte, les autels ayant retrouvé l'ombre de leur niche jusqu'à l'année suivante, la messe pouvait être dite. La foule ne pouvait entrer tout entière dans l'édifice et beaucoup se tenaient dehors, sur la place, dont on ne pouvait apercevoir ce jour-là aucun des pavés de lave.

Le soir, après le rituel chrétien, venait le temps de la fête païenne. Le port était illuminé par des lampions qui parfois prenaient feu, et s'envolaient alors dans l'air noir comme un velours, en lambeaux étincelants, en flammèches brèves, en poussières d'or qui finissaient par s'éteindre devant la grandeur des étoiles qui les regardaient, goguenardes, éternelles et songeuses, venir à elles et mourir.

De grandes tables étaient dressées, de simples planches sur des tréteaux, et chacun amenait son pain, son vin, ses olives, ses câpres confites, ses fruits en pâte d'amande, sa viande de chèvre et de porc, fumée ou séchée, ses gâteaux au miel fourrés à la crème, ses entremets à la pistache et ses liqueurs de cédrat et d'orange. Entre les rires et les sons de l'orchestre composé par quelques membres survivants de la fanfare, ragaillardis à coups de verres de marc, on dansait. Cela durait jusqu'à l'aube.

Aujourd'hui, les pêcheurs se pensent encore obligés d'assister à la Messe du Thon. Mais il n'y a plus de procession qui la précède. Et plus de fête ensuite. Seulement un repas avec les mêmes pêcheurs. Sur le port encore. Une grande table suffit. Les hommes entre eux. Les épouses n'y viennent même plus. Encore moins les enfants. On boit davantage qu'on ne mange, et tout cela se termine par des ivresses lourdes, des stupeurs migraineuses, quelques querelles ravivées. À la messe assiste le conseil municipal, le Maire en tête, qui se demande toujours ce qu'il fiche là et ronge son frein. Il y a aussi de vieilles gens qui sentent l'heure des comptes arriver et se disent qu'il leur sera peut-être utile de se mettre en règle. Après tout, on ne sait jamais. Ça peut servir et c'est gratuit.

Comme le presbytère ressemble par ses dimensions réduites à une maison de poupée, le Curé a peu à peu envahi l'église, à mesure qu'elle était désertée par les fidèles. Avec patience et persévérance, il en a fait une annexe de son logement, une sorte de grand entrepôt dans lequel il s'est occupé pendant des années à reconstituer la charpente d'un navire qui s'était fracassé sur les récifs qui bordent l'île et qu'il a patiemment récupérée, pièce par pièce, faisant d'innombrables voyages et chargements au cours d'un long été, empruntant aux uns et aux autres charrettes et voitures à bras.

La vision du bateau détruit et remonté par des mains inexpertes est saisissante car à le voir ainsi, énorme et blessé, poussant ce qui reste de ses mâts brisés vers la voûte, masse meurtrie, gigantesque, écrasant tout ce qui l'entoure, on se demande si c'est l'épave qu'on a fait entrer dans l'église, ou si c'est l'église qui s'est construite autour d'elle, pour préserver ce singulier vestige, bel et bien vaisseau fantôme, barque des morts, nef d'Osiris et de Charon.

Restent tout de même un confessionnal et une dizaine de bancs, cernés par des empilements de cartons et des ruches hors d'usage, sur lesquels on peut prendre place pour écouter les messes.

Celles-ci sont d'une brièveté sans pareille, et il n'y a guère que le Maire pour les trouver encore longues. Le Curé n'a pas attendu un nouveau concile pour réaménager la liturgie : après un Notre Père récité prestement, il passe sans transition à son prêche qui en général ne prend que quelques minutes et dans lequel, accompagné par le vol amoureux de quelques abeilles, il donne des nouvelles de ses ruches, de la météorologie, évoque quelques souvenirs de ses années de séminaire sur le continent et termine par proclamer les petites annonces qu'on a bien voulu lui confier.

Son estomac ne lui permettant plus de supporter l'aigreur du vin de messe ni l'hostie qui se collait insidieusement à son dentier, il a décidé depuis trois ans de supprimer la communion, mais il n'oublie pas la quête, qu'il fait lui-même, notant même sur un petit carnet ce que chacun lui a donné, ne manquant pas de rappeler à la fin de l'année leur pingrerie à certains. La cérémonie se termine par une bénédiction rapide et une oraison à la Vierge, qui reste sur l'île la grande divinité de l'eau, des profondeurs et des vents.

Quand il était entré dans l'église, le Maire avait remarqué l'Instituteur, assis à la dernière rangée. Il tenait une enveloppe en papier kraft sous le bras, que le Maire avait regardée avec souci. L'office terminé, l'Instituteur l'aborda sur la place, tandis que les uns et les autres se dispersaient et que les pêcheurs retournaient en groupe sur le port.

« Auriez-vous quelques minutes à m'accorder, monsieur le Maire ? J'aimerais vous entretenir de mes découvertes. »

Le Maire n'eut pas d'autre choix que d'entraîner l'Instituteur dans son bureau tout proche. Il flottait dans la pièce une odeur sirupeuse d'anisette, et le Maire fut gêné quand il surprit le regard de l'Instituteur qui se posait sur les deux verres poisseux laissés sur le plateau du bureau et sur la bouteille vide qui dépassait de la poubelle, à tel point qu'il se crut obligé d'avancer une excuse.

« J'ai reçu quelqu'un.

— Je sais, dit aussitôt l'Instituteur. Un policier. Plus précisément un commissaire. Arrivé ce matin.

— Qui vous l'a dit ? »

Le Maire était abasourdi. Il n'eut même pas la force de s'énerver.

« Tout le monde le sait. Tout se sait ici. Et très vite. Ce n'est pas à vous que je vais l'apprendre. »

La Secrétaire. Ce ne pouvait être qu'elle. Cette bonite peinturlurée. Elle allait l'entendre lundi.

« En revanche, ce que les gens ne savent pas, c'est pourquoi ce policier est là. On affirme que c'est au sujet du projet des Thermes. Je n'en crois rien. Je suis certain pour ma part que sa présence a un rapport avec ce qui s'est passé sur la plage, et avec ce que nous avons fait ensuite. »

L'Instituteur n'avait jamais parlé au Maire avec une telle assurance. Même pendant la réunion secrète qui s'était tenue le fameux soir de la découverte des corps, dans la salle du conseil, pas plus que dans l'entrepôt de pêche. C'était comme si sa timidité de grand garçon trop vite poussé, mal à l'aise dans son nouveau corps, avait disparu. Il semblait galvanisé. Son visage reflétait tout à la fois une sereine détermination et un peu d'effronterie aussi. Il s'accrochait à son enveloppe et paraissait y puiser toutes ses forces.

« J'ai ici les conclusions de mes expériences. Elles sont accablantes. J'ai procédé durant les derniers jours à l'examen des courants que vous connaissez mieux que moi, je n'en doute pas. Mais avec de la persévérance, des documents, des cartes, je crois être devenu également assez compétent en ce domaine. »

Il s'arrêta, attendant sans doute que le Maire réagisse, mais celui-ci se forçait à respirer avec calme et à respecter la promesse qu'il venait de se faire de ne pas s'énerver. D'un signe de la tête, il lui fit comprendre qu'il attendait la suite.

« J'ai largué des mannequins qui ont le poids d'un homme à différents points de la route qu'empruntent les passeurs, comme on les appelle, mais je trouve le mot trop beau pour l'employer au sujet de ces êtres ignobles qui font commerce d'autres hommes. Aucun des mannequins ne s'est échoué sur la plage de l'île. Aucun, vous m'entendez, monsieur le Maire ? J'ai recommencé deux fois l'expérience. Pas un n'est parvenu sur la plage. D'ailleurs, trois seulement ont été retrouvés. Sur le continent. On m'a contacté pour me le dire. Les autres ont disparu, emportés plus au large sans doute. Mais aujourd'hui, un mannequin est arrivé. Un mannequin que j'avais largué dimanche dernier, très loin du trajet ordinaire. Pour être plus exact, à proximité immédiate de la *Salive du Chien*. Qu'en dites-vous ? Qui pourrait bien s'aventurer là-bas, dans ces eaux dangereuses, sinon quelqu'un qui connaît l'endroit ? C'est-à-dire quelqu'un d'ici, monsieur le Maire ? »

Dans l'*Archipel du Chien*, la *Salive* est un ensemble d'écueils qui émergent à peine de l'eau, comme des points rocheux crachés là par la gueule de l'animal. Ils n'apparaissent pas sur les cartes, qui indiquent simplement le danger présent à cet endroit, car le plus gros de ces chicots a la taille d'une souche d'olivier. Tous les pêcheurs les connaissent et les évitent, mais les approchent aussi parfois avec prudence en restant sur leur périphérie, car leurs eaux sont poissonneuses et les langoustes y abondent.

Le Maire se sentit faiblir. Comme si une main invisible et experte avait incisé une de ses veines, sans qu'il s'en fût aperçu, et qu'au moment où il ressentait le premier vertige, la quantité de sang enfui faisait qu'il était déjà trop tard.

Que dire à cet illuminé ? Que lui répondre ? Que lui proposer ? Que son hypothèse soit fondée ou pas, le Maire sentait que les conséquences de sa divulgation allaient produire des dommages qui affecteraient la tranquillité de l'île et ruineraient le projet des Thermes, car les investisseurs ne supporteraient pas la lumière d'une publicité aussi macabre. Les hommes qui étaient prêts à mettre des sommes considérables pour la réalisation du complexe aimaient l'ombre et la discrétion par-dessus tout. Le Maire n'avait d'ailleurs affaire qu'à leurs avocats, et il n'avait jamais été en contact direct avec ceux qui possédaient l'argent, mais il savait qui se cachait derrière les sigles et les acronymes de leurs sociétés et les sourires aimables des avocats. Ces hommes-là détestaient les contrariétés, les imprévus, les journalistes, les tribunaux. Seule les intéressait la possibilité de donner une façade honnête et discrète à leurs capitaux dont l'origine demeurait difficilement traçable.

Si l'obsession de l'Instituteur de révéler ce qu'il venait de lui dire, que ce fût là vérité ou élucubration, rencontrait la brutalité rageuse qu'il pressentait chez le Commissaire à désirer mener à son terme sa mission, alors, pensait le Maire, l'île soudain disparaîtrait sous la lave symbolique d'un nouveau volcan, plus efficace que le *Brau* assoupi qui les dominait.

« La mer échappe à tout calcul, monsieur l'Instituteur, reprit le Maire avec, au départ, une voix placide et bonhomme. Je loue votre souci des sciences, mais voyez-vous, pour nous autres qui sommes nés ici, de lignées de femmes et d'hommes pour qui la mer est une compagne aimante ou coléreuse depuis des millénaires, nous savons qu'elle est imprévisible, insondable, irrationnelle et mystérieuse. »

L'Instituteur n'objecta rien. Il attendait la suite.

« Vous avez peut-être raison comme vous avez peut-être tort. Je ne me prononcerai ni dans un sens ni dans un autre, car j'ai la sagesse de savoir qu'en ce domaine, on ne sait rien, on ne sait pas, et on ne saura jamais. Si vous larguez un autre mannequin au même endroit, à un autre moment, à une autre saison, vous le retrouverez peut-être en Argentine ou en Grèce. Je crois pour ma part que vos expériences, qui vous ont pris beaucoup de temps et coûté beaucoup d'argent j'imagine, ne prouvent rien du tout. Et puis, même si votre hypothèse s'avérait juste, qu'est-ce que cela démontre ? Que cherchez-vous donc ? »

L'Instituteur prit son temps avant de répondre. Peut-être pour savourer ce qu'il allait dire, peut-être aussi parce qu'il savait qu'après l'avoir dit, il ne pourrait plus revenir en arrière et en était quelque peu effarouché. Il régnait un silence épais dans le bureau du Maire, à peine troublé par moments par le bourdonnement d'une grosse mouche aux reflets verts qui tournait en rond dans le verre du Commissaire, au fond duquel demeurait une trace collante d'anisette qu'elle s'appliquait à pomper avec délectation.

« J'affirme simplement, preuve à l'appui, que les hommes dont nous avons fait disparaître les corps, contre mon avis, je vous le rappelle, sont tombés à l'eau aux abords de la *Salive du Chien*. Qu'ils sont tombés à l'eau, ou qu'on les y a jetés. Vous savez comme moi que personne n'ose s'aventurer vers la *Salive du Chien*. Toutes les cartes la désignent comme une zone de grand danger. Personne, hormis les pêcheurs de l'île qui connaissent l'endroit et savent en déjouer les pièges. »

Le Maire avait posé ses deux mains à plat sur le bureau. Il ne bougeait plus. Ne respirait plus. Il fixait l'Instituteur. Celui-ci, pour la première fois, soutenait son regard et respirait fort. C'était comme un duel, sans arme, mais dont on sentait soudain qu'il allait de façon irrémédiable se solder par la mort de l'un ou de l'autre.

« Vous rendez-vous compte de ce que vous insinuez ? »

La voix du Maire était devenue glaciale, comme l'air soudain dans la pièce, alors qu'au-dehors, le soleil encore très haut calcinait les murs noirs des maisons et les lauzes des toitures.

« Je ne suis pas homme à avancer des choses à la légère, monsieur le Maire. Je suis peut-être plus jeune que vous. Je ne suis peut-être pas d'ici, comme vous aimez sans cesse me le rappeler, et je commence d'ailleurs, au vu des événements et de la façon dont vous tentez de les étouffer, à en être fier, mais je suis un être responsable, qui ne dit rien sans savoir, et qui, quand il s'agit de sujets aussi graves, soupèse tous les éléments avant d'en parler.

« Vous nous avez demandé de nous taire après ce fameux matin. Je me suis tu. Mais désormais je ne peux plus me taire. Je ne peux pas garder pour moi ce que je sais et ce que j'ai découvert. Je ne voulais pas vous prendre en traître. Je voulais vous en avertir avant : lundi matin, si vous-même n'avez pas pris les devants, je porterai moi-même au Commissaire le récit dont je vous laisse un double. J'y ai consigné les événements de la plage et la façon dont vous avez choisi de les *traiter*. J'y ai dans un second temps rapporté mes expériences et les conclusions que j'en ai tirées. Il faut désormais que ce policier dispose des éléments qui lui permettront d'enquêter et d'établir la vérité. Je ne pourrais pas demeurer sur une île où vivent des hommes qui se sont sans doute rendus coupables du pire, et où vivent d'autres hommes qui préfèrent ne pas le savoir ou l'oublier pour continuer à y dormir en toute tranquillité. »

L'Instituteur avait terminé. Il déposa l'enveloppe sur le sous-main du Maire. Le ressort était désormais remonté. Le Maire crut même entendre dans son crâne le son du tic-tac. Une machine infernale. Voilà ce que ce fou venait de placer devant lui. D'une façon ou d'une autre, elle allait exploser. Plus personne ne pourrait empêcher cela. Le Maire n'avait pas l'intention de se laisser détruire, et si l'explosion était désormais inéluctable, il le craignait, mieux valait qu'elle déchiquette celui qui l'avait rendue possible.

« N'oubliez pas, monsieur le Maire, lundi matin. »

L'Instituteur quitta la pièce en refermant doucement la porte derrière lui.

Le Maire avait besoin de calme. Et très étrangement il l'était, calme, lui d'ordinaire si nerveux. À tel point qu'il se demanda même s'il ne venait pas de mourir. Il mit la main sur son cœur. Il battait toujours. Il laissa sa paume quelques secondes contre le tissu de la chemise, à sentir les coups réguliers et trop rapprochés. Il eut l'impression qu'il y avait là, à quelques centimètres sous la chair, un petit animal captif.

Il regarda sa montre. Il avait une heure devant lui avant de rejoindre le repas des pêcheurs sur le port. En tant que patron pêcheur et en tant que Maire, il ne pouvait s'y soustraire. Une heure pour trouver comment replacer la bombe dans les mains de l'illuminé qui l'avait conçue. Cette bombe-là, ou bien une autre d'ailleurs. Car après tout, ce qui importait, c'était d'empêcher l'Instituteur de nuire. Le Maire sentait bien que si cet exalté alertait les autorités, rien ne serait plus comme avant dans l'île, sans parler du projet des Thermes qui deviendrait lettre morte et rêve envolé. Il n'était plus temps de finasser sur la méthode. Seul importait d'être efficace. Il convenait de le neutraliser.

Les yeux du Maire se posèrent sur les verres qui avaient contenu l'anisette. Dans le fond de l'un d'eux, la grosse mouche curieuse était désormais couchée sur le dos, les deux ailes collées dans les larmes d'alcool. Elle exhibait son abdomen violacé et replet en agitant faiblement une de ses pattes. Elle agonisait. La patte à mesure bougeait de moins en moins. Le Maire ne pouvait la quitter du regard. Bientôt elle ne fit plus aucun mouvement, immobile à jamais dans le cercueil translucide bien trop grand pour elle.

XV

La plupart des hommes ne soupçonnent pas chez eux la part sombre que pourtant tous possèdent. Ce sont souvent les circonstances qui la révèlent, guerres, famines, catastrophes, révolutions, génocides. Alors quand ils la contemplent pour la première fois, dans le secret de leur conscience, ils en sont horrifiés et ils frissonnent.

C'est à tout cela qu'était confronté le Maire. Il ne découvrait rien qu'il ne pressentît déjà. À quoi bon se mentir ? Il n'était plus un enfant. Il lui fallait se rendre à l'évidence : parfois il est nécessaire de traverser les ténèbres pour de nouveau apercevoir la clarté du jour naissant. Mais il n'était pas un monstre, et n'avait pas non plus toutes les cartes du jeu. Quelqu'un les avait-il d'ailleurs ?

Il se souvint de son grand-père, qu'on avait envoyé faire la guerre dans sa jeunesse, et qui en était revenu avec un bras en moins et des poumons détruits. Il passait ses journées assis sur une chaise, dans la cuisine, près de la fenêtre. Sa seule occupation était de regarder le *Brau* et de nourrir les oiseaux avec des miettes de pain qu'il disposait sur le rebord. Les plus affamés ou les plus idiots terminaient en brochette qu'il faisait dorer sur les braises après les avoir plumés et frottés d'ail et d'huile.

Le Maire se souvenait que le vieux les mangeait entiers, sans les vider, en faisant craquer leurs os minces sous ses dents qu'il avait magnifiques et très blanches.

Il était revenu de la guerre blessé, mais il était revenu. Un des seuls de sa compagnie. Les autres étaient tous morts. Des rebelles. Des grandes gueules. Des anarchistes et des idéalistes pour la plupart, que le hasard avait placés ensemble et qui s'étaient monté la tête contre leurs chefs, contre la guerre, contre la stupidité d'un conflit qui durait depuis plus de trois années et avait déjà fait des millions de victimes. Les gradés virent cela d'un mauvais œil. Les récalcitrants étaient trop nombreux pour qu'on les juge et les fusille. Cela aurait risqué de semer dans d'autres crânes l'esprit de la révolte. On choisit plutôt de les envoyer reprendre une position impossible et inutile. Une colline sans aucun intérêt stratégique, sur laquelle l'artillerie ennemie pouvait vomir sa mitraille et ses bombes sans être le moins du monde inquiétée. On les suicida. On choisit de les faire mourir pour que la guerre puisse continuer, sans remous, et poursuivre son travail de mort massive dont le but profond était de redessiner la carte du monde, des puissances et des États, à l'aube d'un siècle nouveau. Quelle importance, en regard, que la vie de quelques centaines d'hommes, même si ce qu'ils disaient était vrai, même si ce qu'ils pensaient était juste ?

Tout cela, c'était de la politique. La politique est sale. Elle n'est pas la morale. Certains hommes choisissent de rester propres, tandis que d'autres assument de se salir les mains. Il faut des deux, même si on respecte toujours les premiers et en vient à haïr les seconds. Certes, l'île n'était pas le monde, et la situation présente n'était pas la guerre. Mais le Maire était un chef, qui avait le souci de sa communauté, qui en assumait la garde, et qui savait que pour cela, son rôle pouvait l'amener à marcher dans la boue et à sacrifier un innocent.

L'idée qui commença à naître dans l'esprit du Maire serait considérée par le plus grand nombre comme immorale et abjecte. S'il la mettait en œuvre et si Dieu existait, le Maire passerait à n'en pas douter l'éternité de l'Au-delà à pelleter des charbons ardents, ayant soif à en mourir mais n'en mourant jamais. Et si Dieu n'existait pas, restaient tout de même les hommes. Quand ceux-ci apprendraient ce qu'il avait fait, car tout finit par se savoir un jour, il aurait à supporter leur effroi et leur opprobre, voire leur justice. Qui donc oserait lui en être reconnaissant ?

Et même dans l'hypothèse peu probable où le secret demeurerait, lui saurait. Il devrait vivre avec ses actes jusqu'à la fin de son existence, regardant dans le petit miroir rond de la salle de bains, chaque matin en se rasant, le visage d'un salaud qui avait cru bien agir. Un salaud qui se chercherait sans cesse des excuses, celle du commandement, celle d'une situation sans issue, celle de la rupture et du chaos, alors que derrière lui, il sentirait sa femme, sa présence, son odeur, sa femme ignorante de tout et qui, après avoir bâillé, viendrait près de lui pour déposer un baiser sur sa nuque qui le ferait frissonner comme le tranchant d'une hache.

Il est singulier de se dire qu'au même moment des êtres liés par la même action éprouvent des sentiments très éloignés les uns des autres : tandis que le Maire se résignait, avec répugnance, éprouvant un profond dégoût pour lui-même, à devoir endosser l'habit d'un exécuteur des basses œuvres, l'Instituteur, qui avait revêtu sa tenue de sportif, avançait d'une foulée rapide et régulière sur le sentier qui s'enroule aux flancs du *Brau*. Il ne semblait pas souffrir de l'extrême chaleur, ni de son effort, tant il était exalté par sa décision et par son acte. Le sentiment d'être dans le juste et le vrai lui donnait littéralement des ailes. Jamais il n'avait aussi bien couru, ignorant qu'en réalité il courait à sa perte.

Le Commissaire quant à lui repensait à la scène du matin dans le bureau du Maire. Il aimait les effets. Il aimait faire peur, voir l'autre douter, perdre son assurance, perdre ses mots aussi, ou les confondre, ne plus savoir choisir les bons. Cela n'avait pas été très difficile avec le Maire. Il en avait connu de plus coriaces. Et il l'avait laissé sans lui dire tout. Il l'avait quitté sur des questions. Il avait simplement présenté au Maire les documents. Sans lui faire part des conclusions auxquelles ils permettaient d'arriver. Il avait détruit chez lui la paix, la quiétude. Il imaginait l'angoisse qui faisait son chemin. Comme une fouine qui rongeait de ses crocs sales chaque seconde de vie, la dépeçait et l'abandonnait à demi dévorée et souillée pour s'attaquer à la suivante.

Le Commissaire vida d'un trait son verre de vin. Il occupait une table en terrasse du café. Il avait eu l'intention, après sa visite au Maire, de marcher dans la ville, mais bien vite le sentiment de progresser dans une termitière l'avait saisi : la taille des rues, celle des maisons, l'impression étouffante de labyrinthe, tout concourait à donner le sentiment de progresser sous terre mais en plein jour, dans un amas oppressant de matériaux plus noirs les uns que les autres, pavements, trottoirs, murs, toits, portes, volets.

Les femmes et les hommes qu'il avait croisés dérobaient leur visage à sa vue en tenant leur tête baissée vers le sol, si bien qu'ils perdaient toute humanité, pour finir par ressembler à de gros insectes inquiétants. Il avait rejoint sa chambre, s'était allongé sur le lit, après avoir pris dans sa valise une bouteille de whisky qu'il avait bue au goulot.

La termitière avait disparu, et avec elle ses occupants. Il avait repensé à son entretien avec le Maire, et la façon dont il avait pris congé de lui, sans dire un mot, sans dévoiler aucune de ses intentions, laissant l'élu rouler ses yeux brillants sur la liasse de photocopies, sortant de la pièce sans refermer la porte.

La Secrétaire l'avait regardé avec crainte. Il avait remarqué que sa gorge se marquetait de plaques rouges nées de son émotion. Il lui avait adressé un grand sourire. Le rouge avait migré sur ses pommettes. Il s'était assoupi sur cette vision.

Le Cafetier lui apporta le plat du jour. Il ne demanda pas d'explications. Il n'y toucherait pas. Il n'avait pas faim. Il n'avait jamais faim. Il avait sans cesse soif. Il commanda une deuxième bouteille de vin.

Face à lui, au milieu de la place du port, une table longue d'une vingtaine de mètres avait été dressée. Les convives n'étaient pas encore arrivés. Un vent chaud soulevait les nappes en papier. Certaines serviettes étaient à terre. Un verre était renversé. Il songea à la Cène. Avant qu'elle ne commence. Un motif qu'aucun peintre n'avait jamais songé à représenter. Quelqu'un avait disposé les assiettes, les verres, les couverts, puis s'était retiré. Une servante ? Un des apôtres ? On n'attendait que le Christ et ses compagnons, et Judas, pour que se mette en marche le dernier acte de la tragédie pourtant banale qui occupait depuis deux mille ans une grande partie de l'humanité.

Le Commissaire avait un faible pour Judas. Voilà si longtemps que Judas était détesté. Le Commissaire aurait aimé être détesté aussi durablement. Comme Judas. L'amour finit tôt ou tard par s'estomper. Mais pas la détestation. Elle demeure, grandit même parfois, se réactive sans cesse. Elle est le moteur profond du genre humain. Au final, le triomphe de Judas sera plus durable que celui du Christ, dont on peut voir partout combien il s'effrite. Les preuves d'amour manquent entre les hommes, alors que les indices de la trahison et du mal prolifèrent. Le Commissaire se versa de nouveau du vin. Il trinqua mentalement à Judas.

Peu à peu les pêcheurs arrivèrent et se rassemblèrent autour de la table. Ils parlaient fort, s'interpellaient et riaient dans un dialecte que le Commissaire ne comprenait pas. Certains d'entre eux se dirigèrent vers un entrepôt. Ils en ressortirent en portant des tonnelets, des corbeilles remplies de pain, des bocaux, des plats, des fromages, des jambons. Un amas de victuailles et de bouteilles encombra bientôt la nappe. Ce n'était plus la Cène. On entrait soudain de plain-pied dans la peinture d'un primitif flamand. Abondance de nourritures, boissons, rires édentés qui fendaient des faces abruties et brûlées de soleil, physiques bancals, ivresses naissantes, grosses mains noueuses, visages stupides. Le vulgaire et l'idiotie. Le boire et le manger. L'oubli de la mort, qui pourtant, quand on y regarde bien, se loge toujours quelque part dans le tableau : un crâne au pied d'un arbre, une branche en forme d'ossement, deux corbeaux, une faux posée contre une grange, un arbre nu au cœur des blés mûrs, des vers dévorant un fruit. Et ici, où donc la mort se cachait-elle ? Était-ce lui-même qui l'incarnait en ce jour ?

Par jeu, le Commissaire cherchait dans le monde le reflet des œuvres des musées auprès desquelles il allait souvent se délasser et réfléchir, avant de passer son temps mort à pérégriner de bar en bar. On aurait pu le prendre pour un ivrogne ordinaire, Sisyphe d'un genre nouveau qui aurait troqué son rocher contre un verre qu'il lui fallait vider tandis qu'on ne cessait de le lui remplir. Mais l'alcool, qui était son compagnon le plus fidèle, était aussi le plus décevant car il lui refusait depuis longtemps la moindre ivresse, et le Commissaire était condamné, en plus d'une éternelle lucidité, à ne jamais plus connaître ce qu'il recherchait.

XVI

Le dimanche qui suivit, différents signes annon-
cèrent que *quelque chose* allait se produire.

Ce fut déjà et cela dès l'aube une chaleur oppressante, sans brise aucune. L'air semblait s'être solidifié
autour de l'île, dans une transparence compacte et
gélatineuse qui déformait çà et là l'horizon quand il
ne l'effaçait pas : l'île flottait au milieu de nulle part.
Le *Brau* luisait de reflets de meringue. Les laves
noires à nu en haut des vignes et des vergers frémis-
saient comme si soudain elles redevenaient liquides.
Les maisons très vite se trouvèrent gorgées d'une
haleine éreintante qui épuisa les corps comme les
esprits. On ne pouvait y jouir d'aucune fraîcheur.

Puis il y eut une odeur, presque imperceptible au
début, à propos de laquelle on aurait pu se dire qu'on
l'avait rêvée, ou qu'elle émanait des êtres, de leur
peau, de leur bouche, de leurs vêtements ou de leurs
intérieurs. Mais d'heure en heure l'odeur s'affirma.
Elle s'installa d'une façon discrète, pour tout dire
clandestine.

Certains crurent qu'elle émanait des raisins mis à
sécher sur les murets. Les baies qui comportent des
grappes gâtées par les pluies peuvent parfois dans

leur progressive pourriture distiller ce remugle invisible vaguement sucré, mièvre mais séducteur, qui porte en son sein des notes capiteuses de fruits sur-mûris, mais aussi des senteurs de venaison, de fourrure mal écorchée sur la peau de laquelle on a oublié quelques débris de viande qui commencent à pourrir et sur lesquels de fins asticots blancs cheminent.

Et puis, quand ce n'est pas le raisin, restent les vapeurs qui viennent du tréfonds de la terre. Il faut imaginer l'île comme un des nombreux couvercles posés à la va-vite des ères géologiques sur le chaudron géant qu'est la planète, rempli d'une mélasse incandescente et qui ne cesse de bouillonner.

La mémoire de l'île témoigne de trois éruptions majeures du *Brau* au fil des siècles et des rivières de lave qui chaque fois ont presque entièrement anéanti les habitations, tué bien des hommes, mais jamais les survivants n'ont songé à abandonner le lieu. Lorsque ce n'est pas la soupape du volcan qui s'ouvre, ses flancs laissent périodiquement s'échapper des buées et des fumerolles, comme des rêves de fumeur de pipe. Ce n'est pas là l'annonce d'une éruption. Cette puanteur légère rappelle l'odeur d'un œuf dur ouvert en deux et oublié pendant des jours sur un comptoir.

Mais ce que l'on sentit ce dimanche n'avait rien à voir. Il fallut bien se rendre à l'évidence. C'était tout autre chose que des miasmes chimiques, désincarnés et purement géologiques. Il y avait du vivant dans cette esquisse de puanteur. Et à mesure que la journée passa, oppressante et torride, l'air sembla s'alourdir de toute cette cuisine invisible.

Le Maire n'avait pas eu tort de dire au Spadon que plus tard, quand il repenserait au matin de la découverte des trois cadavres, il se dirait que cela n'avait jamais eu lieu, que c'était un cauchemar, et peu à peu, à force de se dire que c'était un cauchemar, celui-ci perdrait de sa consistance et de sa précision. Il finirait par ne plus être net dans ses contours. Ses couleurs affadies comme sur de vieux polaroïds rendraient la scène transparente. Les corps des morts et ceux des témoins deviendraient des spectres, et puis se dissoudraient. Il n'y aurait alors que deux ou trois petits pas chassés à faire pour accéder enfin à l'oubli.

Mais hélas les choses ne se passèrent pas ainsi.

L'Instituteur n'eut pas à venir frapper à la porte du Commissaire le lundi matin, puisque le Commissaire lui-même, accompagné du Maire, vint frapper à la sienne, le dimanche soir. Il était un peu plus de huit heures et la chaleur n'était pas encore retombée, pas plus que la puanteur avariée qui se vautrait désormais sans vergogne dans les rues et cherchait à entrer dans les maisons.

Quand l'Instituteur ouvrit la porte et découvrit les deux hommes, il sourit au Commissaire et gratifia le Maire d'un regard reconnaissant, mais quand le Commissaire prit la parole pour lui demander de décliner son état civil, il perdit aussitôt son sourire et demanda ce que cela signifiait.

« Vous êtes en état d'arrestation. »

Les lèvres de l'Instituteur se mirent à trembler et il ne put maîtriser le mouvement de ses paupières, qui battaient follement comme si leur mécanisme intérieur s'était subitement déréglé. La farce pour lui

133

était énorme. Le Commissaire et le Maire, sans s'être donné le mot, gardèrent le silence en fixant l'Instituteur dont le grand corps semblait s'amollir et s'affaisser. Ne restait plus qu'un homme stupéfait face à deux autres, tous trois immobiles, avec la nuit qui s'abaissait au-dessus de leurs têtes.

La veille, le Commissaire s'était couché tard. Installé à la terrasse du café et se faisant resservir du vin aussitôt que la bouteille était vide, il avait profité du spectacle du dîner des pêcheurs. Un résumé de l'humanité et de sa déchéance, ou du principe même de société. Tel groupe qui trinque et rit finit quelques heures plus tard par s'apostropher en propos acrimonieux et gestes de menaces. Les plaisanteries deviennent des piques, les rires des flèches, les présences des dangers. L'alcool bu à pleins verres n'est pas seul responsable de cela. Il n'agit qu'en retirant une pellicule qui recouvre un bocal où grouillent tarentules, cloportes et cafards. Ce n'est pas lui qui crée le poison. Il le libère, rien de plus.

On avait évité les coups ce soir-là, mais il s'en était fallu de peu. Les uns et les autres étaient partis sans se saluer, en titubant, laissant derrière eux leurs chaises renversées, la table du banquet jonchée de verres cassés et d'ordures. Seul le Maire était demeuré, avec un pêcheur à ses côtés qui avait une tête trapézoïdale et des cheveux en fourrure d'ours. Le Maire lui parlait à l'oreille tandis que l'autre sirotait des verres de marc, les coudes sur la table, en acquiesçant de temps à autre. Quand les deux parleurs finirent par se lever, ils échangèrent une longue poignée de main.

Le lendemain, dimanche, alors qu'il était encore allongé en pyjama sur son lit quoique éveillé, on frappa à la vitrine. Le Commissaire écarta les rideaux et reconnut le Maire. Sans prendre la peine de s'habiller, il lui ouvrit et l'invita à entrer. Le Maire préféra rester sur le seuil. Le Commissaire saisit une bouteille de whisky sur la table de chevet, en but une gorgée avec laquelle il se gargarisa comme on le fait pour un bain de bouche, puis il l'avala.

« Il est tôt, monsieur le Maire. Trop tôt pour moi. Je suis une créature de la nuit. J'aurais dû vous en avertir.

— Je ne me serais pas permis de vous déranger si l'affaire n'était pas grave.

— Une affaire grave ? Vous allez m'exciter ! Une affaire grave sur votre île qui n'existe pas, qui existe à peine, je suis curieux. Pourriez-vous m'éclairer ?

— Le mieux est de m'accompagner dans mon bureau. Ils nous attendent là-bas.

— Qui donc ?

— Les témoins. »

Le Commissaire saisit ses vêtements qui avaient été jetés en désordre sur la chaise. Il commença à enfiler son caleçon.

« Savez-vous pourquoi je fais ce métier ? Non, vous ne le savez pas, et vous ne pourriez pas deviner. Je l'ai choisi parce que j'avais envie de tuer. Oui, de tuer. Le plus comique dans cette histoire, c'est que j'ai très peu tué dans ma carrière. »

Le Commissaire se débattait avec un maillot qui avait été blanc mais que l'usage et les différents lavages, sans doute mal maîtrisés, avaient jauni par endroits.

« Je me suis trompé de chemin. En choisissant le crime brutal, comme il était de tradition dans ma famille, j'aurais sans doute davantage réalisé mon rêve. Quel plaisir j'ai eu en contemplant le visage de mon père, qui était une immense crapule, quand je lui ai appris que je souhaitais entreprendre des études d'histoire de l'art et non pas poursuivre les activités de racket et d'extorsion en tous genres dont il s'était fait la spécialité. Il est mort peu de temps après. J'espère avoir une responsabilité dans sa disparition. »

Le Commissaire avait enfilé son pantalon. Il renifla ses chaussettes avant de les passer. Il enfila ses chaussures et les laça. Le Maire posait ses yeux sur son crâne à la calvitie luisante. Il aurait aimé avoir un vilebrequin pour forer un trou dedans et voir le dessin du cerveau du Commissaire. Resté sur le seuil, il entendait la mer et les cris d'oiseaux. Il perçut également une étrange odeur qu'il attribua au manque d'aération de la boutique que le Cafetier avait transformée en chambre, et aussi du corps qui y avait dormi, mais peut-être l'odeur venait-elle du dehors, sans qu'il sût en déceler l'origine.

« Allons-y, je suis prêt. Ne faisons pas attendre vos témoins. Je sens que ce dimanche va être une belle journée. »

Le Commissaire prit soin de glisser dans la poche de sa veste la bouteille de whisky et il suivit le Maire.

Les témoins attendaient à la mairie sur le banc face au bureau de la Secrétaire, vide en ce jour dominical. Le Policier reconnut dans l'homme tassé qui regardait le sol le pêcheur avec lequel le Maire discutait la veille au soir. Sa tête était énorme et sa chevelure, fausse, était bel et bien constituée d'une fourrure synthétique, comme celle dont on revêt le corps des ours en peluche.

À son côté se tenait une fillette d'une dizaine d'années. Elle était aussi droite que lui était courbé. Elle fixait le comptoir devant elle. Elle avait de grands yeux verts, un peu trop grands, un peu trop ouverts, dans un visage mince et blanc, comme on en trouve dans certains portraits de Lucas Cranach. Elle avait posé ses mains fines et anormalement longues sur ses genoux. Elle était vêtue d'une jupe large en coton rouge et d'un chemisier à carreaux bleus. À ses pieds des ballerines en toile. Elle touchait à peine le sol avec le bout de ses orteils. Ses cheveux roux noués en queue-de-cheval dégageaient son front bombé. Le Commissaire la trouva infiniment sérieuse, d'un sérieux qui pouvait signifier une remarquable intelligence comme une débilité profonde.

Le Maire indiqua la porte de son bureau. On s'assit. Mais le Commissaire préféra le coin du bureau, une fesse sur le bois, l'autre dans le vide. La fillette se posa sur le bord d'une chaise face à lui.

« Je vous écoute », dit le Commissaire.

La petite regarda le pêcheur mais celui-ci gardait les yeux obstinément fichés dans le tapis qui recouvrait le sol de lave. Elle chercha alors ceux du Maire, qui ne l'aida pas davantage. Elle se tourna vers le Commissaire.

« Tu veux me dire quelque chose, petite. Quel est ton nom ?

— Mila.

— Quel âge as-tu ?

— Onze ans.

— Je t'écoute, Mila.

« — C'est l'Instituteur.

— Quoi l'Instituteur ?

— Il a eu des gestes.

— Des gestes ?

— Il m'a touchée.

— Il t'a touchée.

— Oui.

— Où t'a-t-il touchée ? »

L'enfant fit le geste de montrer l'intérieur de ses cuisses.

« À cet endroit, demanda le Commissaire, l'Instituteur t'a touchée ? »

Mila acquiesça en plantant ses grands yeux verts dans ceux du Commissaire, qui la contemplait avec un intérêt grandissant.

« Il t'a touchée avec ses mains ?

— Oui. Et ses doigts aussi.

— Ses doigts ?

— Oui. Il a enfoncé ses doigts. »

Le Commissaire se tourna vers le Maire qui déchiquetait nerveusement un papier buvard. Un petit tas de débris rose s'accumulait sur son sous-main. Il leva les yeux vers ceux du Commissaire, qui le regardait, songeur. Le Maire, gêné, ne soutint pas longtemps son regard et retourna au massacre de son buvard. On entendit de nouveau la voix de la fillette.

« Il m'a mis sa chose aussi.

— Sa chose ?

— La chose qu'ont les hommes. Il me l'a mise là aussi.

— L'Instituteur ?

— L'Instituteur. »

À ce moment le père fut pris d'une violente quinte de toux qui lui secoua le poitrail et fit branler sa grosse tête. On crut qu'il allait cracher ses poumons ou s'étouffer tant le graillement était interminable.

« Tu me jures que tout ce que tu me dis est vrai ? demanda le Commissaire en prenant le visage de l'enfant dans sa main et en la forçant à le regarder. Tu me le jures ? C'est très grave, ce que tu me dis.

— Je le jure, répondit la petite sans hésiter. C'est la vérité. Je le jure. »

Alors le Commissaire lui tourna le dos, contempla de nouveau le Maire qui éventrait un autre papier buvard mais celui-ci gardait la tête baissée. Quant au visage du Commissaire, il s'illuminait d'un grand sourire, comme celui qu'on voit sur certaines peintures de saints ou de mystiques. Il donnait en ce moment l'image d'un bonheur sans limite. Il en oubliait même dans sa poche la bouteille de whisky, devenue soudain un accessoire inutile. Alors qu'il ne s'y attendait pas, alors qu'il n'était aucunement venu pour cela, la vie lui procurait une ivresse que l'alcool lui refusait depuis longtemps déjà.

XVII

Quand le Docteur ouvrit sa porte, il était vêtu de son éternel costume en lin mais il avait retroussé le bas de ses jambes de pantalon jusqu'à mi-chevilles, laissant apparaître de gros pieds rouges striés de veines méandreuses et gonflées. Tous ceux qui étaient sur le seuil fixèrent les pieds du Docteur, qui avaient laissé sur le pavement des traces humides. Et lui regarda ses visiteurs, un curieux équipage à vrai dire, composé du Maire, du Commissaire, de Fourrure, un pêcheur un peu simple qui masquait sa calvitie depuis des années sous un immonde raccommodage de lambeaux et de peluches, et de sa fille, Mila, qu'il avait toujours élevée seul, sa femme l'ayant quitté pour un homme venu du continent quand l'enfant avait quelques mois à peine.

« Nous avons besoin de toi », dit le Maire.

Le Docteur, un peu surpris, désigna de sa main droite, dans laquelle il tenait un livre, l'intérieur de sa maison. Tous entrèrent. Le Maire ouvrit la marche et se dirigea vers la salle d'attente.

« Avant toute chose, nous devons te parler, le Commissaire et moi. Fourrure attendra ici avec Mila. »

Le pêcheur et sa fille s'assirent dans la salle d'attente. La petite saisit un illustré parmi les revues et

141

journaux qui encombraient une table basse, et son père reprit sa pose habituelle, les épaules basculées vers l'avant, sa tête énorme entraînée par son poids considérable vers le sol comme si elle allait s'y écraser.

Le cabinet du Docteur témoignait d'un raffinement que le Commissaire ne pensait pas trouver dans ce pays de primitifs. Quantité de livres en tapissaient les murs, des éditions rares et anciennes à en juger par la beauté des reliures, qui prenaient place dans des bibliothèques dont on avait soigné le dessin et la patine, sculptées qu'elles étaient dans un bois aux tonalités sanguines, peut-être du noyer, auquel l'encaustique donnait des brillances onctueuses.

Ce fut le Maire qui résuma la situation. Le Commissaire n'intervint pas et le laissa parler. Le Docteur écouta en chatouillant sa moustache qu'il n'avait pas teinte car on était dimanche et qui triomphait de toute la splendeur de ses poils gris. Sous son bureau, il agitait ses orteils comme s'il tentait de jouer une mélodie sur le clavier d'un piano. Son gros visage souriant écoutait le Maire, dont le malaise à répéter les propos de la petite ne lui avait pas échappé. Quand celui-ci se tut, le Docteur sortit un mouchoir de sa poche pour s'éponger le front.

« Et vous attendez de moi que je l'examine ?

— Vous avez tout compris, Docteur, intervint le Commissaire. Il est indispensable de corroborer les affirmations de cette enfant par des constatations cliniques. Si effectivement, comme elle le prétend, il y a eu des viols répétés, cela doit se voir.

— Évidemment.

— Vous n'avez pas l'air surpris par ce qui nous amène. Auriez-vous eu de soupçons ?

— Pas le moins du monde, mais je ne suis plus très jeune et, sans en avoir fait le tour, je connais assez la nature humaine pour savoir ce dont elle est capable. Je vais vous demander de sortir. Dites à la petite de venir, s'il vous plaît. »

Le Docteur se leva et se dirigea vers une porte qu'il ouvrit. Le Commissaire découvrit le cabinet de consultation, une table d'examen, quelques instruments, des armoires métalliques et vitrées, une toise, un pèse-personne, un lavabo au-dessus duquel le Docteur était déjà occupé à se savonner les mains avec vigueur. Puis il fit couler l'eau, les rinça avec soin, les essuya dans un linge propre qu'il jeta aussitôt dans une haute poubelle métallique. Quand il revint dans son bureau, Mila et son père étaient debout côte à côte et attendaient.

« Pas toi Fourrure, j'ai besoin de voir ta fille seule. »

Le pêcheur sembla soulagé. Il regagna la salle d'attente et ferma la porte derrière lui. L'enfant ne paraissait pas impressionnée par le Docteur. Certes elle le connaissait comme tous dans l'île le connaissaient pour avoir eu affaire à lui depuis toujours, et pour le croiser dans les rues aussi, mais en la circonstance, le Docteur fut étonné par son calme et l'absence d'émotion qu'elle manifestait. Il lui expliqua en choisissant ses mots ce qu'il allait faire, et pourquoi il avait besoin de le faire. Elle ne posa aucune question. Il lui dit de s'allonger sur la table d'examen, de remonter sa jupe, d'enlever sa culotte. Il mit en place les étriers et régla leur longueur au minimum. Mila, sans qu'il lui en explique le fonctionnement, y posa ses pieds, comme si elle en avait eu l'habitude, et cela le troubla. Cuisses écartées, elle tourna son visage vers le plafond du cabinet et ferma les yeux. Il procéda à l'examen.

XVIII

L'île ne possédait aucun local de police, et encore moins de cellule. Il fallut bien pourtant trouver un endroit où enfermer l'Instituteur. Le Maire après avoir réfléchi dit au Commissaire qu'en dessous de la mairie se trouvait une grande cave, à peu près vide, qui servait de chaufferie. Une porte solide la condamnait. Une meurtrière pourvue de barreaux, située au ras du sol de la place, y versait une lumière chiche. Le Commissaire la visita. Elle était parfaite. Le Maire y fit transporter par le Spadon un matelas, une bonbonne d'eau, une bassine et un pot de chambre. La chaudière à gaz fonctionnait alors au ralenti en bourdonnant, et suffisait à assécher l'endroit de son humidité naturelle. Le Spadon s'exécuta sans poser de questions. Ce qu'il aimait par-dessus tout était de ne pas savoir.

Les deux hommes y menèrent l'Instituteur qui n'opposa aucune résistance, ce qui étonna le Maire qui s'attendait à ce qu'il refuse de les suivre, se débatte, proteste de son innocence devant les faits qui lui étaient reprochés et que le Commissaire lui avait énoncés. Il semblait tout au contraire abasourdi et comme éteint, sur le point d'éclater en sanglots comme un enfant pris en faute. Il se laissa faire. N'embrassa même pas sa femme ni ses petites jumelles qui étaient apparues sur le seuil après avoir sans doute entendu les motifs de l'arrestation et qui se serraient dans les bras l'une de l'autre tandis que les trois hommes s'éloignaient.

Le Commissaire choisit de ne pas organiser la confrontation avec la jeune victime le jour même. Il savait les vertus qu'une nuit de silence et de solitude peut faire naître chez un homme qu'on vient d'arracher à sa vie tranquille et qu'on met face au mur. Il ferma la porte de la cave à double tour et glissa la clé dans la poche de sa veste. Il sembla soudain y redécouvrir la présence de la bouteille de whisky, dont il but une large gorgée. Il la tendit au Maire, qui refusa. Tous deux remontèrent dans le bureau de l'élu.

« Je vous dois mes excuses et des remerciements, monsieur le Maire, dit le Commissaire dont la calvitie paraissait plus luisante encore qu'au réveil. En venant ici, je ne pensais pas avoir un pareil festin à me mettre sous la dent. Avouez que je tombe bien !

— Que voulez-vous dire ? avança le Maire sur la réserve.

— J'arrive, et le crime surgit.

— Cela vous surprend-il ?

— Pas vraiment. Ma conception a toujours été que c'est la loi qui crée le délit, et non pas le délit qui crée la loi. C'est un peu l'histoire de la poule et de l'œuf, mais en plus complexe. Vous me suivez ?

— Je crois.

— Si je n'avais jamais débarqué chez vous, cette enfant aurait peut-être continué à subir ce qu'elle endure, en silence, sans se plaindre.

146

— Mais vous veniez pour autre chose. Les photographies que vous m'avez montrées.

— Laissons cela pour l'instant, votre instituteur est bien plus passionnant. »

Le Commissaire termina sa bouteille et la lança vers la corbeille du Maire. Elle se brisa sur le sol.

« Raté ! On ne peut pas toujours gagner. À demain, monsieur le Maire. Dormez bien. »

Et il quitta le bureau sans même prendre la peine de ramasser les éclats de verre et de les déposer dans la poubelle.

Les constatations faites par le Docteur durant l'examen de l'enfant et qu'il avait aussitôt après exposées au Maire et au Commissaire étaient sans appel. La petite n'était plus vierge. Son état indiquait qu'elle avait perdu son hymen depuis un certain temps et qu'elle avait dû subir fréquemment des pénétrations. Elle avait supporté l'examen avec une constante placidité. Le Docteur dit qu'il en fut tout étonné. Elle avait gardé les yeux tournés vers le plafond et, quand il lui avait dit qu'il avait terminé, elle avait enlevé les pieds des étriers, remis sa culotte et baissé sa jupe. Elle s'était assise sur le bord de la table de consultation tandis que le Docteur se lavait les mains.

« Et c'est donc l'Instituteur qui t'a fait cela ? avait-il demandé en lui tournant le dos.

— Oui Docteur.

— Tu me le jures ?

— Oui Docteur.

— Quand cela a-t-il commencé ?

— Il y a un an.

— Et pourquoi n'as-tu rien dit ?

« — Il me menaçait.

— De quoi ?

— De me mettre des mauvaises notes.

— Et tu n'as jamais eu de mauvaises notes ?

— Non. Jamais. Que des très bonnes. »

Le Commissaire demanda au Docteur de rédiger un compte rendu de l'examen et les conclusions qu'il en tirait. Cela lui prit plus de temps qu'il ne pensait, non pas qu'il ait eu des doutes concernant l'examen qu'il avait pratiqué : la fillette avait perdu sa virginité et cela n'avait pas eu lieu la veille. Il en était certain. Aucune lésion ni déchirure n'étaient apparentes. Par ailleurs, la plasticité de son vagin accréditait le fait qu'elle avait connu plusieurs rapports sexuels, sans doute régulièrement. De cela aussi il en était certain. Ce qui gênait le Docteur, c'est que l'enfant avait raconté les faits avec un grand calme et ne paraissait pas traumatisée le moins du monde, ni même troublée. Si elle était venue se faire désinfecter le genou à la suite d'une chute dans une ruelle, elle n'aurait pas été différente. Comment une enfant pouvait-elle subir pareilles violences et ne pas en être affectée ? Il se dit que son visage lisse et calme était sans doute une façade, et que derrière lui un grand chaos entassait son lot de ruines.

Comment l'Instituteur passa la première nuit dans l'obscurité de la cave ? Que pouvait-il donc penser ? Quel sentiment dominait-il en lui ? La stupeur ? La colère ? Le dégoût ? La rage ? La crainte ? Le désespoir ?

Au matin le Maire, qui avait conservé un double des clés de la porte, vint lui porter une tasse de café et une brioche. Il le trouva assis sur le matelas, le regard perdu dans le mur d'en face. Le Maire posa le café et la brioche à ses pieds. L'Instituteur se tourna vers lui.

« Vous savez bien que je suis innocent !

— Je ne sais que ce que la petite raconte.

— Elle ment !

— C'est vous qui le dites.

— Vous êtes dégueulasse ! C'est vous qui lui avez dit de mentir.

— Vous êtes dans une situation très difficile.

— Cela ne durera pas, voyons ! C'est impossible !

— Si vous en êtes sûr.

— Il suffira que je sois confronté à elle pour qu'elle dise la vérité. C'est une bonne petite. Une excellente élève.

— Nous verrons bien.

— Tout ceci est un coup monté ! Cela ne m'empêchera pas de donner mon rapport au Commissaire ! Vous êtes une ordure ! »

Le Maire quitta la cave et referma la porte à double tour. Il entendit comme une plainte monter de l'autre côté, ou peut-être étaient-ce des sanglots.

XIX

Lorsqu'on veut abattre son chien, on l'accuse d'avoir la rage. Les antiques recettes ont fait leurs preuves et fonctionnent en tout temps. Il suffit de les mettre au goût du jour. Que l'Instituteur fût innocent ou non de ce dont on l'accusait n'était pas le principal problème. Le principal problème était qu'on l'accusait. En quelque sorte, et quelle que soit l'issue de l'affaire, le mal était fait. Il resterait et rien ne pourrait le laver.

Si l'accusation était restée secrète, elle n'aurait eu que peu d'effet, mais quand le lundi matin, après avoir quitté leurs maisons, les enfants y revinrent quelques minutes plus tard en disant que l'école était fermée et que le maître n'était pas là, les adultes s'interrogèrent. Certaines mères allèrent frapper à sa porte. Personne ne leur répondit. Et puis la nouvelle se propagea, d'on ne sait où, sortie de quelle bouche, que l'Instituteur avait violé la petite de Fourrure.

Alors on courut chez Fourrure, en nombre cette fois, des mères affolées qui serraient leur enfant contre leur flanc. Lorsque Mila sortit devant la maison, certaines dirent comme une petite nonne ou une sainte, droite et paisible, noble et distante, d'une voix douce dénuée de colère, elle confirma la rumeur. Oui, l'Instituteur l'avait forcée avec sa chose. L'enfant n'ajouta rien d'autre. Elle rentra chez elle. Il y eut la stupeur. Puis il y eut des cris. Une foule grossissante, de mères, et d'hommes aussi que le tapage avait alertés et à qui on apprenait la nouvelle.

Toute cette rage ambulante se dirigea de nouveau vers chez l'Instituteur. On hurla. On insulta. On exigeait de le voir sortir car on ignorait encore qu'il se trouvait dans la cave de la mairie. On lança des pierres dans les fenêtres. On brisa les vitres. On lacéra à coups de pied et de couteau le bois de la porte. On écrivit des insultes en lettres barbouillées sur les murs. On s'essouffla un peu car personne n'apparaissait aux fenêtres. On en conclut que la maison devait être vide.

Les femmes s'en allèrent avec leurs enfants. Les hommes coururent prévenir les autres hommes. En moins d'une heure toute l'île distillait la nouvelle comme un alcool rare et enivrant. Grisé par lui, on ne prêta pas attention à l'odeur immonde qui s'était encore renforcée. Elle paraissait couler des flancs du *Brau* à la façon d'une lave invisible et volatile. Elle envahissait la moindre ruelle, avait trouvé les failles dans les murs et les toitures pour s'inviter dans les maisons, les inspecter pièce par pièce, et prendre ses aises comme un commensal sans gêne qui s'apprête à passer chez ses hôtes contraints un long et gras séjour.

La Vieille dans sa promenade, au retour de la plage, passa devant la maison de l'Instituteur peu après la horde des mères. Amérique, qu'elle avait croisé, lui avait tout rapporté pour la petite de Fourrure. Elle lut les mots de haine, trempa même ses doigts dans la peinture qui n'avait pas encore séché et qui chutait en coulures.

Elle poussa du bout du pied quelques éclats de verre. Elle sourit de ses yeux froids et cracha par terre.

En cette fin de septembre, le ciel, ni bleu ni gris, mais couvert d'un glacis fuligineux transformait en une masse pâteuse et irrégulière le soleil, l'étalant comme un beurre rance en troublant ses contours. Les oiseaux de mer, goélands, sternes, aigles, mouettes, albatros, huîtriers-pies volaient d'une étrange façon, concentrique, non pas tant au-dessus des flots et près du rivage comme ils avaient coutume de faire, ou encore près des bateaux à quai, excités par l'odeur de poisson qui ne quitte jamais tout à fait les filets, mais autour des pentes du *Brau*, en une ronde tapageuse, aiguë, finissant par dessiner une sorte d'anneau d'ailes, de plumes, de becs et de cris, animant le volcan mort d'une vie circulaire et sans fondement.

Et puis il y avait la puanteur. Qui n'avait plus rien d'aimable ni d'incertain : c'était une odeur de charogne qui prenait ses quartiers sur l'île. Une odeur reconnaissable entre toutes, comme celle qui émane d'un fourré quand une bête blessée est venue y crever et que son cadavre se décompose pendant des jours, perd sa forme première, accueille mouches, vers et asticots, se gonfle de gaz, devient énorme, s'effondre, se crève, se décharge de toutes ses humeurs putrides qui s'écoulent en ruisseaux noirâtres.

Il était difficile de ne pas songer aux corps des noyés dans les entrailles du *Brau*. Il était impossible que trois cadavres enfouis à des dizaines, voire peut-être des centaines de mètres dans la terre, parviennent à saturer l'air de toute l'île avec leurs miasmes, mais l'air empuanti semblait manifester leur présence, leur colère et leur ressentiment.

Cette pestilence était le premier acte d'une vengeance qui allait se dérouler selon un implacable tempo : les morts allaient faire payer aux vivants leur indifférence. Ils avaient traité le corps de leurs frères humains comme des dépouilles animales. Ils avaient choisi le silence plutôt que la parole. Ils allaient en être punis.

Le Commissaire ne se pressa pas pour organiser la confrontation. Elle eut lieu au milieu de l'après-midi du lundi, dans l'atmosphère étouffante de la salle du conseil. On avait tiré les rideaux, à la fois pour se cacher de la foule qui peu à peu grossissait sur la place et pour se protéger du soleil qui semblait vouloir amener l'île et ses occupants au plus haut point d'ébullition.

Le Maire était déjà sur place depuis une heure, ainsi que le Docteur qu'il avait prié de venir un peu en avance. Le Commissaire entra, vêtu comme s'il se rendait à une noce, avec un costume bleu à fines rayures blanches, une chemise de soie beige, une cravate rouge, des chaussures vernies. Il avait plaqué en arrière avec une pommade brillante ses rares cheveux. Rasé de frais, son teint verdâtre ainsi mis à nu le trahissait et témoignait de sa piètre santé. Pour autant, aucune bouteille ne déformait une de ses poches.

« Nous y voilà, Messieurs. C'est l'heure !

— Voulez-vous que je m'en aille ? demanda le Docteur qui s'essuyait la nuque avec son grand mouchoir sale et parfumé.

— N'en faites rien, répondit le Commissaire qui scrutait chaque élément de la salle en en faisant le tour. Plus on est de fous, plus on rit ! »

Puis se retournant brusquement vers les deux hommes, il lança avec un œil plein d'excitation :

« Vous les avez vus dehors ? L'arc se tend ! J'aime les foules quand elles sont ainsi chargées d'électricité. Elles deviennent imprévisibles ! Tout peut alors arriver. Venez donc les contempler : des fauves dans la fosse qui attendent la distribution de viande. Aucun ne voudrait la rater et chacun espère ramener son morceau. C'est magnifique. »

Il venait d'écarter le rideau d'une des fenêtres qui donnaient sur la place. Le Maire s'était levé à contrecœur et le Docteur l'avait suivi, à la fois pour ne pas le laisser seul et aussi pour ne pas contrarier le Commissaire, dont il avait deviné le tempérament nerveux et sans doute déséquilibré. Tous trois se retrouvèrent à regarder la place.

« Alors, qu'en dites-vous ? Nous sommes au théâtre, non ? »

Le Maire ne put cacher sa surprise. Le Docteur masqua la sienne sous son sourire, mais la façon avec laquelle il s'essuya vigoureusement le front prouvait qu'il était troublé. Il y avait là, en dessous d'eux, occupant entièrement le périmètre sombre de la place, des centaines de femmes, d'enfants et d'hommes, les uns contre les autres, masse compacte qui bruissait comme un essaim. Hypnotique, la musique de leurs voix formait une litanie, envoûtante, nasale, rudimentaire, large et enveloppante, qui parvenait aux oreilles, en un bourdonnement qui faisait vibrer chaque partie du corps et finissait par monter au cerveau pour l'agacer.

Soudain, sans qu'on sache pourquoi, la nappe sonore s'atténua puis cessa en même temps qu'au bout de la place, à l'opposé de la mairie, vers la ruelle qui longeait l'angle sud de l'église, un mouvement agita la foule qui se sépara, s'ouvrit en deux, comme si on l'avait tranchée avec la lame d'un scalpel. Alors dans la fine ouverture qui l'ouvrait progressivement en deux, le Maire, le Docteur et le Commissaire virent apparaître la mince silhouette de Mila, tout habillée de blanc, et qui tenait un grand cierge dans ses mains jointes.

Pourquoi un cierge, et qui lui en avait donné l'idée ?

Toujours est-il que le cierge et le vêtement produisirent leur effet. La foule se taisait. Immobile, elle contemplait l'enfant suivie de son père, Fourrure, qui ne portait pas de cierge mais avait également les mains jointes, et titubait un peu, saoul peut-être, saoul sans doute, comme à son habitude, sa perruque d'ours de guingois sur son crâne.

Au passage de l'enfant, les hommes enlevèrent leur casquette et les femmes se signèrent, certaines mêmes s'agenouillèrent. Tout cela sans se concerter. Tout cela en puisant dans le vieux fonds toujours chaud des peurs et des signes sacrés, qu'on renie, qu'on néglige mais qui demeurent et relèvent leur tête ancienne quand il le faut, quand on est démuni, quand on ne sait pas, quand on ne sait plus.

L'enfant avançait, lentement, regardant droit devant elle, digne et importante, ne fixant rien d'autre que le lointain, indifférente à la foule autour d'elle, tenant son cierge comme s'il s'était agi du corps du Christ lui-même. Elle entra dans la mairie. Elle y disparut, Fourrure avec elle. La porte se referma derrière eux. La foule garda le silence.

« Épatant, non ! lança le Commissaire. Finalement, on sait s'amuser dans votre trou ! »

XX

Quelques secondes plus tard, la fillette et son père apportaient avec eux un parfum de cire chaude et des effluves de marc. Mila tenait son cierge d'une seule main désormais et l'avait éteint. Le Maire tira les rideaux et indiqua des chaises. La petite prit place. Fourrure à côté d'elle, qui bâilla et replaça sa perruque. Le Commissaire prit la situation en main.

« D'ici quelques secondes, l'Instituteur viendra dans cette pièce. Je le ferai asseoir ici, face à toi. Il sera assez loin pour qu'il ne puisse te faire aucun mal, mais assez proche pour que tu puisses bien le voir, et qu'il te voie. Je me tiendrai ici. Nous sommes assez nombreux pour te protéger de lui, tu n'as donc rien à craindre. Je te poserai des questions, te demanderai d'y répondre, de raconter ce qui s'est passé comme tu l'as déjà fait. Il se peut que l'Instituteur crie, s'emporte, te menace, te supplie. Tu ne dois pas tenir compte de ce qu'il fera ou dira. Tu dois uniquement te préoccuper de la vérité. Tu comprends ?

— Oui. La vérité. Je comprends.

— Bien. Monsieur le Maire, auriez-vous l'amabilité d'aller chercher le suspect ? »

157

Le Maire parut décontenancé. Peut-être s'attendait-il à ce que ce soit le Commissaire qui se charge d'aller sortir l'Instituteur de sa geôle improvisée ? Il lança un regard suppliant au Docteur, que le Commissaire surprit et qu'il comprit.

« Faites-vous accompagner si cela vous rassure. »

Jamais le trajet pour aller de la salle du conseil jusqu'à la cave ne parut aussi long aux deux hommes. Le bâtiment pourtant, à l'image de toutes les constructions de l'île, avait des proportions naines, mais ce jour-là, le Maire et le Docteur eurent l'impression que l'espace se dilatait, que les couloirs s'allongeaient comme s'ils étaient faits d'une matière étirable et molle, que les escaliers multipliaient leurs marches et n'en finissaient pas de descendre, et que la cave dans laquelle était enfermé l'Instituteur était située au centre exact de la terre, là où tout naît et tout meurt, où surgissent et s'annihilent toutes les forces contraires.

Le Maire sortit la clé de sa poche, hésita un instant, regarda le Docteur qui, le visage luisant de sueur, le gratifia de son impassible sourire.

L'Instituteur était allongé sur le matelas, dans une attitude qui rappelait les gisants des cathédrales. On aurait pu le croire mort. Le Docteur vit aussitôt qu'il respirait et d'un geste rassura le Maire. L'Instituteur se redressa en se tenant sur les coudes. Il les regarda. Un sourire d'une grande tristesse apparut sur ses lèvres.

« Même vous, Docteur ! Vous n'avez pas honte… ? »

Le sourire du Docteur changea un peu mais il ne disparut pas.

« Vous allez être confronté à la petite, dit aussitôt le Maire. Veuillez nous suivre.

« — Oui. Finissons-en. »

Il se leva avec peine. La nuit passée dans ce lieu inhospitalier dépourvu de tout confort lui avait donné des gestes de vieillard. Il frôla le Maire et le Docteur sans plus leur accorder un regard. Le Docteur nota que se dégageait de son corps une odeur âcre de sueur recuite, celle qu'on sent flotter au matin dans les chambres d'hôpital, au-dessus du lit des grands fiévreux qui ont traversé les heures nocturnes en s'agitant dans leurs draps trempés.

L'Instituteur sourit à Mila en entrant dans la pièce, salua son père en l'appelant par son nom, mais Fourrure ne lui répondit pas. Il adressa aussi un bonjour au Commissaire. Ce n'était pas encore un vaincu qui prenait place dans la salle du conseil, mais un être choqué, affaibli, et malgré tout confiant en l'issue de la confrontation et dans la vérité qu'elle allait permettre de mettre au jour.

Le Commissaire inclina la tête, Fourrure baissa la sienne, et la fillette lui rendit son bonjour en l'appelant « Maître », ce qui lui fit apparemment plaisir. Il prit cela comme une preuve de respect, un respect qui ne pouvait exister si les faits dont la petite l'avait accusé avaient été réels. Mais pour tout autre que lui qui entendait ce mot prononcé par l'enfant, et la façon avec laquelle elle l'avait prononcé, cela pouvait produire un effet glaçant car s'y décelaient l'ascendant et l'autorité sans limite que l'Instituteur exerçait sur la fillette, et qui lui avaient permis peut-être d'exiger d'elle le pire, et de l'obtenir.

Comment résumer alors ce qui suivit ? L'Instituteur se noya, sans qu'on ait besoin le moins du monde de l'aider à mourir : il s'en sortait tellement bien tout seul. Et à mesure qu'il perdait pied, qu'il sentait que la situation devenait pour lui un piège parfaitement agencé et qui ne lui laisserait aucune chance, sa voix devenait plus encore gémissante et faible, tremblée et vide.

La partition de l'enfant était en tous points parfaite. Lorsque le Commissaire lui demanda de raconter comment tout cela était arrivé, elle s'y plia, comme la bonne élève qu'elle était, avec sa voix d'oiseau doux. Elle commença par dire que l'Instituteur la félicitait souvent pour ses excellents résultats. Devant la classe entière, il vantait son sérieux et ses capacités, disant d'elle qu'elle était un modèle, une enfant douée, une petite merveille, ajoutant qu'en plus elle était polie, avait de bonnes manières, était si charmante et bien jolie.

Le Commissaire l'arrêta pour se tourner vers l'Instituteur afin de lui demander si tout cela était vrai, si tels étaient ses mots. Celui-ci confirma.

« Et cela vous arrive-t-il souvent de parler ainsi d'une élève devant toute la classe ? »

L'Instituteur précisa que non, ce n'était pas fréquent, mais qu'en l'occurrence il avait eu envie d'encourager la petite, qui avait des dons certains, ne vivait pas dans un milieu qui pouvait l'aider et qu'elle n'en avait que plus de mérite.

« Que voulez-vous dire concernant son milieu familial ? » demanda le Commissaire.

Les regards se tournèrent vers Fourrure, qui ne réagit pas. Peut-être ne se rendait-il pas compte qu'on parlait de lui. Il contemplait la table d'un air idiot. Avec sa perruque et ses gros yeux de bête, on l'aurait cru échappé d'un zoo.

« Je savais qu'elle vivait seule avec son père, qui était souvent parti sur son bateau. Elle n'avait pas la vie d'un enfant de son âge. Elle n'avait pas de soutien. J'ai voulu être gentil.

— Gentil ? » releva le Commissaire tout en desserrant son nœud de cravate qui, trop serré, avait laissé une marque rouge sur sa gorge jaune comme si on avait essayé de l'étrangler.

L'Instituteur ne répondit rien. Le Commissaire dit à l'enfant qu'elle pouvait continuer.

« Parfois, quand le maître passait dans les rangs, il s'arrêtait près de moi. Il regardait ce que j'étais en train d'écrire. Il se penchait et s'approchait très près de moi. Je pouvais sentir son souffle et son parfum. Sa chaleur aussi. Il était vraiment proche. Je n'osais pas continuer. J'avais peur d'écrire une bêtise, là, devant lui, et qu'il la remarque. Mais il ne disait rien. Il restait un moment, et il lui arrivait de me caresser les cheveux, ou de poser sa main sur mon épaule. J'étais encore davantage paralysée.

— Donc il te touchait.

— Oui. Il me touchait.

— Qu'en dites-vous Monsieur l'Instituteur ? Est-ce la vérité ? »

On voyait bien qu'il se passait à l'intérieur du crâne de l'Instituteur de grands mouvements de conscience qui animaient les traits de son visage de tensions subites et désordonnées, de petits agacements, pareils à des tics nerveux. Il n'avait plus trente ans. Il n'avait plus d'âge. Peu à peu, il entrait dans son habit de victime.

« J'agissais ainsi avec Mila comme je le faisais avec d'autres élèves.

— Avec d'autres ?

— Oui. Est-ce interdit ?

— De caresser des enfants ?

— Vous appelez cela des caresses et donnez tout de suite au mot une connotation perverse. Il ne s'agissait que de gestes de sympathie, d'encouragement. Une façon de les récompenser. Nous ne sommes pas des machines et nous ne travaillons pas avec des machines.

— Et toi ma petite, demanda le Commissaire, quand l'Instituteur te touchait ainsi, que ressentais-tu ? »

L'enfant répondit aussitôt, avec une rapidité qui surprit le Commissaire.

« Cela me gênait. J'avais honte. J'étais très mal à l'aise, mais je n'osais pas le dire.

— Continue.

— Un soir, il m'a demandé de rester après l'étude. Les autres sont sortis mais pas moi. Nous avions fait un contrôle très important la veille et je n'étais pas certaine d'avoir réussi. J'étais inquiète. Le maître m'a parlé du contrôle, et des notes que j'avais eues depuis le début de l'année. Il m'a redit qu'il était fier de moi, que j'étais une très bonne élève, que je pourrais faire des études, qui me permettraient d'avoir un bon travail et de quitter l'île. Et il m'a parlé du contrôle. »

La fillette s'interrompit. Elle sembla soudain désemparée et très émue. Elle tourna le visage vers son père mais celui-ci continuait à ne pas être là. Elle regarda le Maire, qui détourna la tête, puis le Docteur, qui se mit à inspecter ses poches comme s'il lui fallait y trouver aussitôt quelque chose d'essentiel. Le Commissaire remarqua le malaise qui venait d'apparaître. Il demanda

162

à l'Instituteur si ce que disait l'enfant était vrai, à propos de l'étude, de ses résultats, du fait qu'il l'avait retenue alors que les autres étaient déjà partis.

« C'est vrai.

— Et cela ne vous dérange pas, de rester seul, avec une enfant, dans la classe, sans témoin.

— Je n'ai jamais pensé à mal.

— Vous êtes une belle âme, monsieur l'Instituteur. Vous vivez hors du monde. D'une certaine façon, vous avez de la chance. Je t'en prie, Mila, poursuis », lui demanda le Commissaire, avec une gentillesse qu'on ne lui avait encore jamais connue.

La fillette restait muette. Ses yeux brillèrent un peu plus. La pièce soudain parut rapetisser. On manquait d'air. La chaleur dessinait sous les aisselles de chacun de grandes taches moites. Le Docteur ne cessait de s'éponger le front. Les lourds rideaux bouchant les fenêtres donnaient l'impression qu'on ne pourrait jamais sortir du lieu et qu'on y étoufferait. Une larme apparut dans les yeux de l'enfant, puis une autre. Elle commença à pleurer, silencieusement, sans bouger, toujours droite et fixe.

« Veux-tu que nous arrêtions un peu », demanda le Commissaire.

Elle fit non de la tête, et au travers de ses larmes, elle regarda l'Instituteur qui parut stupéfait.

« Ce soir-là, le maître m'a dit que j'avais raté mon contrôle.

— Mais c'est faux !

— Taisez-vous ! Laissez-la parler !

— Que j'aurais une mauvaise note, mais qu'il avait peut-être une solution pour que j'aie une bonne note.

« — Pourquoi mens-tu, Mila ? Pourquoi racontes-tu n'importe quoi ? »

L'Instituteur s'était levé de sa chaise et se penchait vers la petite qui en parut effrayée.

« Asseyez-vous immédiatement sinon je vous attache à la chaise ! C'est ça que vous voulez ? Asseyez-vous ! »

Le Commissaire dut attendre quelques secondes, avant que l'Instituteur lui obéisse. Il se laissa choir sur la chaise comme un paquet de linge.

« Je t'en prie, continue.

— Le maître m'a fait venir à lui, au bureau. Il a caressé mes cheveux, mes joues. Il m'a dit que ce n'était pas grave d'avoir parfois une mauvaise note, que j'étais une très bonne élève, que c'était un accident. Il m'a fait asseoir sur ses genoux.

— MAIS C'EST FAUX ! TU MENS !

— Je ne voulais pas. Il m'a forcée à m'asseoir. Il a continué à me parler en me caressant. Sa main passait sur mes cuisses.

— ELLE MENT !

— Il me disait que j'étais belle, que je devais être gentille. Il a remonté ma jupe. Il a caressé ma culotte.

— TAIS-TOI ! POURQUOI DIS-TU CELA ?

— Je ne pouvais plus bouger. Je croyais que j'étais morte. Il a passé ses doigts dans ma culotte. Il m'a caressé là où vous savez. Il a pris mon autre main. Il l'a glissée dans son pantalon. J'ai senti sa chose qui était dure.

— C'EST TERRIBLE ! POURQUOI MENS-TU, MILA ?

— Il m'a forcée à la caresser. Il me parlait de la bonne note qui remplacerait la mauvaise. Le soir quand je suis rentrée, j'ai vomi. J'ai eu la fièvre. Je ne voulais plus retourner à l'école. »

La petite se tut. L'Instituteur suffoqua et regarda les uns et les autres avec ses yeux fous. Soudain, comme venu des profondeurs, un ronflement monta dans les murs qui oscillèrent, donnant à la salle du conseil la consistance d'une guimauve, tandis que chacun sentait sous ses pieds l'onde sismique qui tordait son échine à la façon d'un gigantesque serpent se débattant depuis l'éternité sous la fourche du trident qui essaie de l'étouffer. Il y eut des craquements, des cliquetis, des raclements. La grande table elle-même parut vouloir fuir et gémit. Le *Brau* rugissait. Comme si lui-même semblait s'offusquer des propos de l'enfant. Seul le Commissaire s'inquiéta du phénomène, auquel il n'était pas habitué.

« Ce n'est rien. C'est le volcan », dit le Maire, qui n'était pas mécontent de cette diversion.

Le calme revint. Les murs retrouvèrent leur impassibilité, la grande table son immobilité muette. On pouvait poursuivre le supplice de l'Instituteur.

« Et quelle a été ta note à ce contrôle ? interrogea le Commissaire.

— La meilleure », répondit l'enfant, en essuyant avec le revers de ses mains les grosses larmes qui s'écoulaient toujours sur ses joues.

XXI

Dans les minutes qui suivirent, dans l'épais silence de ces minutes, il y eut des images. Celle de la scène comme venait de la raconter l'enfant, et celle de la scène telle qu'elle avait dû se poursuivre, comme on ne lui demanda pas de la raconter. Son dernier mot contenait tout un monde fermenté d'horreur et de bassesse. Le mot devenait le réceptacle de gestes ignominieux et abjects que l'imagination de chacun voyait désormais comme sur un écran de cinéma, avec une confondante netteté. Point n'était besoin d'en ajouter d'autres.

L'Instituteur ne retenait plus ses larmes. Il pleurait, recroquevillé sur sa chaise. Et pendant tout le temps que dura encore la confrontation, il n'intervint plus jamais. Même lorsque le Commissaire lui donna la parole, l'interrogea, lui demanda de confirmer ou d'infirmer ce que Mila venait de dire de leurs rencontres fréquentes, de la façon dont il la violait, en quel lieu, en quelles circonstances et de quelles façons, il ne se départit plus jamais de son silence. Il continuait de pleurer, parfois tout en fixant l'enfant, qui ne semblait pas gênée de cela, qui soutenait le plus souvent son regard trempé, déroulait son implacable récit en ne cessant de pleurer elle aussi, bien que ses larmes ne troublent jamais la clarté de sa voix.

« Comme une sorte de transe, dit plus tard le Docteur à la Vieille qui était venue frapper à sa porte pour se faire expliquer la scène. La petite était comme possédée. Quelque chose ou quelqu'un semblait parler à travers elle. Je suis dramatiquement matérialiste et ne crois à aucune forme de transcendance, mais c'était troublant. On sentait par ailleurs que dire ce qu'elle avait à dire la vidait de toutes ses forces, et qu'elle allait à un moment ou à un autre s'évanouir. »

La Vieille se taisait. Le Docteur lui avait offert un petit verre de liqueur qu'elle n'avait pas touché. Il maltraitait un cigare. Elle soupesait tout ce qu'il venait de lui apprendre. La nuit était tombée et les rues de la ville s'étaient vidées de la foule qui avait pendant si longtemps occupé la place de la mairie. La maison du Docteur puait comme un chien mort. Il avait disposé sous chaque fenêtre des linges mouillés pour éviter que l'air avarié du dehors pénètre dans les pièces mais ç'avait été peine perdue. Il portait souvent son mouchoir sous son nez tandis qu'il était avec la Vieille. Le parfum de bergamote dont il avait imbibé le linge ne parvenait pas tout à fait à chasser la puanteur.

« Qu'est-ce que tu as ? Le rhume ?

— Non. Vous ne sentez donc rien ?

— Sentir quoi ?

— Mais cette odeur depuis deux jours, comme un cadavre en décomposition, partout, dans toute la ville. »

168

Elle le considéra avec mépris en secouant un peu sa tête maigre dans laquelle ses yeux blancs dessinaient deux petites cavités sans fond.

Lorsque la fillette eut fini de dévider son témoignage, le Commissaire se leva, Fourrure sembla se réveiller, et le Maire qui n'y tenait plus, pour lequel le lieu confiné et le récit de l'enfant agissaient comme une grande main posée sur sa bouche et son nez, l'empêchant de respirer, vint près d'une fenêtre, commença à tirer les rideaux, saisit la poignée pour ouvrir un battant mais il aperçut la foule dont il avait oublié l'existence. Il s'immobilisa, stupéfait. Des centaines d'yeux s'étaient levés et l'observaient. Il referma les rideaux. Un grondement monta audehors. On aurait pu croire que venait de s'allumer une gigantesque chaudière.

On décida de libérer l'enfant et son père. Mila reprit son cierge et quitta la salle, les yeux baissés vers le sol. Fourrure regarda le Maire, parut quêter un ordre. Le Maire agacé lui fit signe de s'en aller. Quand la porte de la mairie s'ouvrit et que la petite apparut, la rumeur se tut, comme elle s'était tue quand elle était arrivée sur la place quelques heures plus tôt. On lui fit de nouveau un passage. Elle marcha, droite, digne, son cierge éteint à la main. Son père à sa suite ressemblait à un vieux chien miteux.

On la regarda passer. Malgré la canicule, on eut froid soudain, à la voir si maigre, si pâle, si faible à chaque pas, et soudain, tandis qu'elle avait déjà traversé la moitié de la place et se trouvait donc au milieu exact de la foule, à la croisée parfaite de deux diagonales qui la désignaient comme le cœur de toute chose, elle s'arrêta, porta la main à sa poitrine, sur sa gorge, et ceux qui étaient au plus près d'elle virent ses paupières blêmes papillonner et ses yeux se révulser et, pareille à une fleur de lin fauchée sous le tranchant d'une serpe, elle tomba d'un coup, corolle blanche sur le pavement noir.

Alors un cri jaillit de la foule, une sorte de crachat sonore, venimeux, pointu comme un clou et coupant comme un rasoir, un cri qui à lui seul incarnait une vengeance qu'on exigeait de voir s'accomplir, et le cri écartela la place, tapa contre les façades, se cogna au portail de l'église qui resta sourde pour finir par s'écraser contre les fenêtres de la mairie derrière lesquelles le Maire, le Commissaire et le Docteur, debout, le reçurent comme une gifle, tandis que l'Instituteur, toujours assis, semblait comprendre que désormais pour lui, quoi qu'il arrive, quoi qu'il puisse faire ou dire, tout était perdu.

XXII

Après la confrontation, l'Instituteur ne pouvait que mourir. D'une façon ou d'une autre. Personne ne le dit, mais chacun le sentit.

Lorsque Mila s'évanouit on la porta chez elle, comme une sainte relique, à bout de bras, et les gens recommencèrent à se signer et à psalmodier des prières. Fourrure en larmes suivait. On coucha l'enfant. Des femmes l'apaisèrent, la rafraîchirent avec des linges humides, lui firent un bouillon clair et la veillèrent, tandis qu'à la cuisine, Fourrure passait sa main sous ses faux cheveux de nylon brun en larmoyant toujours et en buvant les verres que des pêcheurs venaient lui remplir pour qu'il leur raconte la scène à la mairie.

Sans que personne se fût donné le mot, la place resta occupée. Non par la foule entière, mais par une centaine d'hommes et de femmes, et cela par roulement continu, comme des tours de veille qui paraissaient se donner sans consigne claire. On fixa la fenêtre éclairée de la mairie. On attendait la sortie de celui qu'on avait déjà dépouillé de sa fonction et qu'on n'appelait plus que le Monstre. On attendait qu'il sorte, ou on était là pour l'empêcher de sortir, ce qui revenait au même.

Les autres témoins proches de la scène, le Commissaire, le Maire et le Docteur, avaient quelques coups d'avance. Ils savaient que l'Histoire est pleine de foules aveugles exigeant du sang. Et même si une foule a souvent tort, elle finit toujours par obtenir ce qu'elle demande.

L'Instituteur demanda à parler seul à seul avec le Commissaire. Le Maire et le Docteur furent heureux de quitter la pièce où il devenait difficile de respirer. Pour autant, ils jugèrent peu prudent de sortir pour le moment de la bâtisse. À la foule il faudrait parler. Dire. Répondre. Ce n'était pas encore le moment. Ils s'enfermèrent dans le bureau du Maire.

« Qu'est-ce que tu crois qu'il va lui dire ? demanda le Docteur.

— Je m'en fiche. Il peut tout lui dire. Les trois noyés, ce que nous en avons fait, ses expériences, ses conclusions. Le Commissaire l'écoutera mais il n'en fera rien. Il a tellement mieux désormais à se mettre sous la dent.

— J'aimerais en être certain comme toi.

— D'ordinaire c'est moi qui suis inquiet et toi qui me rassures.

— Les temps changent. Je n'aime pas ce que nous faisons.

— Qu'est-ce que tu crois ? Moi non plus, mais il fallait le faire. Et puis ne t'inquiète pas. Ce qui importe est qu'il s'en aille, loin de chez nous. C'est tout. Demain la petite reviendra sur ce qu'elle a dit. Il sera blanchi. Tu diras que ton rapport médical a été mal interprété. Que tu n'es sûr de rien. Que tu n'es ni médecin légiste ni gynécologue. Mais tout ce vacarme le poussera sur le continent bien mieux que n'importe quel vent favorable. Nous serons débarrassés de lui. Et nous pourrons enfin penser aux vrais problèmes. »

Le Commissaire se fit apporter trois bouteilles de vin et une d'eau-de-vie. Le Cafetier les livra lui-même. On le regarda passer. Il les monta avec précaution et sérieux, comme s'il était investi d'une mission supérieure ou transportait de l'or. Le Commissaire ne le laissa pas entrer dans la salle et les lui fit déposer à l'entrée. Il repartit sans avoir aperçu l'Instituteur dont il fit pourtant aussitôt au-dehors un portrait précis.

« Je ne l'aurais pas reconnu. Tout le vice lui sort désormais de la tête. Dire qu'on lui confiait nos enfants ! Chaque matin je lui disais bonjour, sans malice, quand il partait courir. L'ordure ! Vous l'auriez vu, sur sa chaise, les yeux troubles, la bouche pendante, et ses mains, ses doigts, ses grandes mains dégueulasses sur la table devant lui. Il est d'une laideur ! Si le Commissaire n'avait pas été là, je n'aurais pas pu me retenir, je lui aurais pété la gueule, à ce fumier ! »

Le Commissaire versa du vin dans les deux verres. Il en déposa un devant l'Instituteur qui n'avait pas bougé, et vida le sien d'un trait. Il ôta sa cravate qu'il jeta au loin, sur la table d'un geste las, fit tomber sa veste, déboutonna et retroussa les manches de sa chemise. Il vint s'asseoir près de l'Instituteur, une fesse sur la table, l'autre dans le vide, comme il aimait tant le faire. Il se resservit un verre de vin, qu'il sirota par petites gorgées tout en considérant l'Instituteur. On

173

aurait cru qu'il observait une bête malade, avec chagrin. L'Instituteur inspira longuement et se lança :

« J'ai des choses à vous apprendre.

— La petite doit être douée pour inventer des histoires », dit le Commissaire sur un ton très léger.

L'Instituteur le regarda comme si soudain il voyait une apparition.

« Pardon ?

— Je vous disais que cette fillette a beaucoup d'imagination. Mais cela vous le savez, non ? »

L'Instituteur ouvrait grand la bouche. Il ne semblait pas en revenir. Le vent tournait. Le Commissaire finit son verre et se servit de nouveau.

« Quelle chaleur ! Comment pouvez-vous vivre dans ce pays ? Vous ne buvez pas ? »

L'Instituteur fit signe que non. Il ne parvenait pas à parler. Dans son crâne devaient tourbillonner tant de pensées contradictoires. Et puis la mauvaise nuit, l'émotion, les paroles de la fillette, tout l'avait épuisé. Et maintenant ce que disait le Commissaire et dont il ne savait pas s'il le comprenait bien.

« Vous avez tort. À part le vin et l'alcool, je me demande ce qui mérite d'être connu et fréquenté au cours d'une vie, pas les hommes en tout cas. Nous venons d'avoir encore un bel échantillon de leur misère.

— Vous ne croyez pas tout ce qu'elle raconte alors ? Vous me croyez moi ? Vous me croyez, n'est-ce pas, quand je dis que je suis innocent, que je n'ai rien fait ? » demanda l'Instituteur avec une voix tremblante.

Le Commissaire considéra le pauvre bougre pendant quelques secondes. Il n'aurait pas aimé être à sa place. Il haussa les épaules et se leva. Il se dirigea, son verre à la main, vers une des trois fenêtres. Il entrouvrit un rideau et désigna le dehors.

« Que je vous croie ou non n'a aucune importance, et que vous soyez innocent n'en a pas davantage. Ce qui importe c'est ce que croient celles et ceux qui sont là, en dessous. On dirait des hyènes dans une fosse. Vous aimez les ménageries ? Moi je les déteste. On m'y emmenait quand j'étais enfant. Un endroit minable avec des arbres poussiéreux, des bosquets encombrés d'ordures et de papiers gras. Une odeur de merde, partout, de plaie sanguinolente, et des bêtes en fin de vie. Comme celles qui sont là, à attendre.

— Mais vous pourrez leur dire, leur expliquer !

— Leur expliquer quoi ? Que la petite s'est fait violer ? L'examen du Docteur le prouve, à moins qu'il ne mente lui-même, ce qui après tout n'est pas exclu. Cette île ne manque pas de crapules. Qu'elle ment en vous désignant ? Qu'elle récite une leçon ? Que c'est sans doute son père dégénéré qui la viole, ou un oncle, un cousin, aussi arriéré que lui ? Que vous n'y êtes pour rien ? Qu'elle joue un rôle ? Qu'on lui a appris une leçon ? Qu'on a exercé sur elle des pressions ? Qu'on l'a menacée de mettre son père en prison si elle ne récitait pas sa fable, ou qu'on leur a offert de l'argent ou je ne sais quoi ? Qui me croira ?

— C'est pourtant cela la vérité !

— Mais qui s'intéresse à la vérité, monsieur l'Instituteur ? Tout le monde s'en fiche, de la vérité ! Ce qu'ils veulent c'est votre tête, et vous savez pourquoi ils veulent votre tête, parce que en vous arrêtant, en vous conduisant ici, en vous confrontant à la petite, c'est comme si on la leur avait déjà promise, votre belle tête bien pleine, à tous ces crânes creux. Imaginez leur déception si on la leur retirait ! Vous avez déjà essayé de reprendre un os à un chien qui est occupé à le ronger avec délice ? »

L'Instituteur, qui, quelques secondes plus tôt, s'était repris à espérer, roulait désormais des yeux déments. Il semblait suffoquer. Le Commissaire revint s'asseoir près de lui, sur la table. Il saisit la bouteille de vin.

« Et puis, que ce soit vous le violeur, ça les arrange puisque vous n'êtes pas comme eux. Vous venez d'ailleurs. Vous êtes différent. Vous êtes étranger à leur île ! Si je leur disais que celui qui viole la petite est un des leurs, qu'il est comme eux, fait comme eux, du même bois, à leur image, vous pensez qu'ils aimeraient l'idée ou l'accepteraient ? Vous croyez que l'être humain aime quand on lui montre sa propre laideur dans un miroir ? On ne se voit jamais comme on est, et quand se découvre, c'est insupportable ! Leur apprendre que c'est un des leurs, un pur produit du cru, un enfant de l'île qui touche et pénètre des gamines de onze ans, vous croyez que c'est une idée agréable ? Vous pensez qu'ils l'accepteraient, cette idée ? Non, vous leur êtes bien utile, monsieur l'Instituteur. Ils ne vont pas vous lâcher. »

La panique gagnait l'Instituteur. Elle faisait son chemin rapidement. Tous ses membres tremblaient. Il cherchait à déglutir mais n'y parvenait pas. Il grimaçait, aspirait l'air en le lapant. Le Commissaire lui tendit de nouveau le verre de vin.

176

« Buvez. »

L'Instituteur obéit.

« Ils me sacrifient. Je sais des choses qu'ils ne veulent pas voir divulguer. J'ai rédigé un rapport. J'ai été témoin. J'ai fait des expériences. Seul compte pour eux leur tranquillité. Le projet des Thermes, voilà. Je peux tout vous dire. J'étais là. J'ai compris. Ils savent que je sais. Que j'ai deviné. Les bateaux. Le trafic. Le Maire. Le Docteur. La Vieille. Le Spadon, Amérique. Tous. Je les ai rejoints sur la plage. Et le Curé aussi. Plus tard. Ici même. Et puis dans la chambre froide. Ils y avaient mis les corps. Avec les poissons. Sous la bâche bleue. Et puis après le trou dans le volcan. On les y a poussés. Puis plus rien. Le silence. Et après vous voilà ! »

Le Commissaire eut bien de la peine à arrêter le débit de l'Instituteur.

« Vous rendez-vous compte que vous parlez comme un fou ? Je ne comprends rien à ce que vous essayez de me dire. Calmez-vous. Cela ne sert à rien de vous emporter ? C'est trop tard. Trop tard, je vous l'ai dit. Vous n'avez pas la main. Et puis moi de toute façon je ne peux rien pour vous.

— Mais vous êtes policier tout de même !

— Là aussi vous faites erreur.

— Qu'est-ce que vous racontez ?

— Je dis que vous vous trompez.

— Vous n'êtes pas commissaire ?

— Tout le monde a voulu que je le sois. C'est de ma faute bien sûr : j'ai accepté le rôle parce que c'était plus simple pour faire ce pour quoi je suis venu, mais je suis autant policier que vous êtes

177

danseuse de cabaret. Je joue le jeu. C'est tout. Quand j'étais jeune, je faisais un peu de théâtre à l'université. On disait que j'étais doué. Chacun ici a voulu voir en moi un policier. Je n'allais pas les décevoir. J'ai fourré sous le nez du Maire une carte ramassée un jour sur un mort. Il s'en est contenté. À croire que ça l'arrangeait ! Tout le monde ment. La vie est une farce. La scène de tout à l'heure m'a beaucoup amusé, cette comédie, la petite qui a appris son rôle, toute cette saloperie étalée comme ça, sans honte, mais je ne suis pas là pour ça et il me reste peu de temps. Vous allez être obligé de faire sans moi. »

XXIII

Le plus étrange est que le même soir le Commissaire se présenta chez le Docteur. Celui-ci était rentré depuis peu quand on frappa à la porte. Il ne s'attendait pas à le voir arriver chez lui. Il le fit entrer en lui demandant pourquoi il venait le voir. Pourquoi lui plutôt que le Maire qui avait été jusque-là son interlocuteur ?

« Quelle importance de vous le dire ? Je suis là, c'est tout. Je cherche quelqu'un qui peut m'écouter. Quelqu'un qui saura répéter ce que je vais lui dire. Votre Maire est trop nerveux. Il s'emporte et s'enferme dans son emportement, mais je ne vous apprends rien, vous le connaissez mieux que moi. J'ai aimé le pousser à bout et l'effrayer, mais je me lasse vite. J'aime jouer comme un chat avec des souris, mais pas longtemps. Et puis avec lui j'aurais peur qu'il ne prenne pas la mesure exacte de ce que j'ai à dire. Allons-nous rester debout indéfiniment dans votre couloir ? La journée a été longue. »

Le Docteur lui indiqua la porte de son bureau qui était ouverte. Il entra et se laissa choir sur le fauteuil.

« J'ai l'air peu sérieux mais c'est une affaire sérieuse qui m'amène sur votre île. Ceux qui m'envoient détestent plaisanter. Ils détestent beaucoup de choses d'ailleurs, sauf le travail bien fait. Et il se trouve qu'on a essayé de saboter leur travail, de le contrarier, et même peut-être de le leur voler. Mais je vais tout vous expliquer. J'ai eu l'occasion de vous observer. Vous êtes un être calme. Vous ne semblez pas idiot, même si vous avez les mains sales comme les autres. Vous êtes vous aussi un salaud ordinaire. Je ne vous juge pas. J'en suis un aussi. Et de la pire espèce. Vous êtes un agneau comparé à moi, mais un agneau à la fourrure tachée. Vous vous sentez mal ? Pourquoi gardez-vous ce mouchoir sous votre nez ? »

Le Commissaire ne paraissait pas sentir l'immonde odeur de charogne qui ne disparaissait pas mais au contraire engraissait à mesure que les heures passaient.

« J'ai l'impression que vous perdez tous la tête. À moins que vous l'ayez déjà perdue depuis longtemps, à tourner en rond dans votre monde clos, ce qui ne m'étonnerait pas. Il est grand temps que je parte et ne revienne jamais plus ici. Auriez-vous quelque chose à boire, sans trop vous commander ? Et puis si vous aviez le petit frère du cigare que vous fumez, je ne dirais pas non. Il m'a toujours semblé que fumer ce genre de choses faisait naître des pensées profondes. »

Le Docteur alla chercher la bouteille de liqueur de cédrat, deux petits verres et la boîte à cigares. Il remplit les verres pendant que le Commissaire inspectait la boîte, respirait certains modules, vérifiait leur mollesse entre son pouce et son index. Il finit par choisir un robusto qu'il coupa avec grâce avant de l'enflammer en prenant tout son temps, le faisant rouler pour que la braise soit unie. Il aspira les premières bouffées, mâcha la fumée, la regarda sortir de sa bouche et s'installer, en nappes grises. Il sembla satisfait et porta à ses lèvres le verre de liqueur, le but d'un trait. Il le reposa en faisant la grimace.

« Quelle horreur ! C'est vous qui faites cette saloperie ? Il devrait y avoir des lois pour l'interdire. »

Ce qui ne l'empêcha pas de se resservir sans demander l'autorisation.

« Vous avez imaginé une drôle de partie d'échecs. Vous avez cru que vous pourriez la mener à son terme, mais il y a eu un grain de sable et vous avez paniqué. Je ne sais pas qui a décidé de sacrifier une pièce, ce pauvre instituteur en l'occurrence, avec cette histoire de viol abracadabrante, mais le bénéfice sera nul et vous ne serez pas sauvés, croyez-en mon expérience. Vous ne gagnerez pas. Vous risquez même de perdre gros. C'était votre idée ? Celle du Maire ? Au fond, ça n'a plus d'importance. Vous êtes tous des ordures. C'est un spécialiste qui vous parle.

« Ce que je veux vous dire, c'est que vous ne pourrez pas revenir en arrière. Je ne sais pas comment ça va finir, mal sans doute, mais ce sera à vous de vous débrouiller avec les morceaux cassés. Moi je serai loin et je vous oublierai très vite.

« Vous êtes tous des salauds, je vous l'ai dit, mais pas assez pour vous foutre de tout, comme moi. Je soupçonne qu'il vous reste un peu de ce ridicule fond chrétien, qui a fait sa fortune depuis l'épisode du Golgotha sur la faute et le pardon. C'est ça qui vous tuera. Vous n'êtes pas assez détachés. Vous n'avez pas les moyens spirituels de votre sale ambition.

Quand on veut entrer au service du Diable, il faut aimer le feu et ne pas craindre de se faire rôtir à ses flammes. Vous êtes restés à mi-chemin car vous avez l'âme sale mais vous n'avez pas les couilles. Vous êtes de vulgaires amateurs. Vous en subirez les conséquences. Vous allez crever dans l'expiation et le remords, j'en suis sûr. »

Le Commissaire se resservit un verre de liqueur. Il l'avala en faisant la grimace. Il laissa aller son regard sur les murs, réprima un gloussement :

« Vous avez lu tous ces livres autour de vous ?

— Un certain nombre.

— Pour quel bénéfice ?

— Cela m'a aidé à comprendre des choses.

— J'aimerais bien savoir lesquelles ?

— Les hommes. La vie. Le monde.

— Rien que ça ? Prétentieux ! Et pour finir, vous accouchez de ce pauvre coup monté ? Ils ne vous ont pas rendu service, les livres. Cette histoire de viol qui ne tient pas debout, à part l'assemblée de crétins survoltés massés sur la place, qui pourrait la gober tant elle semble servie sur un plateau ? J'aurais pu passer chez la petite et son père avant de venir vous voir. Trois gifles auraient suffi et on m'aurait sans doute servi une nouvelle version : une à la fillette pour qu'elle me dise qu'elle avait menti parce que son père le lui avait demandé. Deux à sa crapule de père pour qu'il m'avoue que c'était lui qui la tripotait et la violait depuis des mois, que le Maire le savait pour l'avoir surpris une fois sur son bateau, ou ailleurs, et qu'il lui avait demandé de charger l'Instituteur en échange de son absolution. Je les aurais quittés tous deux en larmes, une petite pute et un australopithèque qui mériterait d'être castré et amputé des deux mains.

« Vous vouliez exercer un chantage sur ce pauvre instituteur, l'empêcher de parler, de me raconter ce que vous aviez manigancé avec les trois cadavres échoués, et ce qu'il avait découvert ensuite au cours de ses promenades en bateau ? C'est raté. Il aurait fallu trouver autre chose de plus fort. Ne faites pas cette tête, il m'a tout dit, mais, de toute façon, j'en savais davantage avant même de poser le pied sur votre île de merde ! »

Il s'interrompit, inspecta son cigare qui s'était éteint, le renifla, puis renifla tout autour de lui. Il planta ses yeux dans ceux du Docteur.

« Maintenant que vous le dites, c'est vrai que ça pue, mais j'ai l'impression que ça vient de vous ! »

XXIV

Le Docteur écoutait le Commissaire qui finissait la bouteille de liqueur de cédrat ainsi que son cigare. Il se demandait quels étaient les fils qui rattachaient cet énergumène à la vie. Était-ce l'indifférence, l'amour du travail bien fait, la cruauté, la détestation de son semblable, l'amour inassouvi du meurtre, comme il l'avait confié au Maire, le plaisir de détruire ?

Il avait dit être venu trouver le Docteur car il voyait en lui un être moins gouverné par ses passions que le Maire, et qui serait à même d'expliquer ses propos. Mais le Docteur comprit que sa visite s'inscrivait plutôt dans une stratégie de la menace. Il lui importait de répandre la peur par fines pincées, comme on verse du sel dans une chair ouverte pour lui faire rendre des larmes en espérant que quelque temps plus tard, la viande attendrie se laissera aisément cuire et couper.

Le Commissaire n'avait pas contredit l'Instituteur quand il avait tenté de lui expliquer ses découvertes.

« Je lui ai même fourni des renseignements qu'il ne possédait pas », dit-il en tapotant la cendre de son cigare dans un vide-poches qui n'était aucunement destiné à cet usage.

« Je travaille pour des gens qui ont de gros intérêts économiques et dont une partie de l'activité s'implante dans le domaine du transport maritime. Mes employeurs prennent en charge toutes les denrées susceptibles d'être achetées et revendues. Cela depuis des décennies. Matières premières, fruits et légumes, voitures, cigarettes, biens de consommation, etc. Ils s'efforcent de s'inscrire dans une activité économique globale, de s'adapter au marché, qui est comme vous le savez souvent changeant.

« Les lois des différents États sont excessivement rigides, et ne correspondent en rien à celles du marché, et à ses contraintes. Il faut alors que mes employeurs trouvent les moyens de satisfaire leurs clients en s'arrangeant du mieux qu'ils peuvent avec les lois, c'est pourquoi ils aiment la discrétion. Sans discrétion, rien n'est possible. Et ils sont prêts à tout pour maintenir cette discrétion. Vous me comprenez, je pense ? »

Le Commissaire parlait comme un employé de banque, un comptable ou un homme politique. Peut-être était-il tout cela à la fois en vérité ? À l'entendre parler, on pouvait se persuader qu'il croyait en ce qu'il disait, et malgré son ton d'une totale neutralité, on devinait pourtant une menace sous chaque mot, comme sur certains sentiers qui cheminent au pied du *Brau*, sous chaque pierre se cache un scorpion.

« Et puis de nouvelles demandes apparaissent, suivant les bouleversements du monde. Ces dernières années, les situations instables, les guerres civiles, l'inéquitable répartition des richesses, les famines ont précipité d'immenses mouvements migratoires du sud vers le nord. Mes employeurs, qui ne sont pas insensibles à la détresse humaine, se sont rendu compte que les organisations officielles internationales étaient débordées. Ils ont alors tenté de faire de leur mieux pour permettre à des dizaines de milliers de femmes, d'enfants et d'hommes de rejoindre ce qui pour eux s'apparente à de nouvelles terres promises. On minore souvent cela : les intentions de mes employeurs et de ceux qui leur ressemblent ne sont pas seulement mercantiles. Elles sont aussi, et peut-être, oserais-je le dire, avant tout *humanitaires*. Je vois que cela vous étonne, mais je ne vous demande pas de me croire. Je me fous de votre avis et de ce que vous pouvez penser. Je pose les faits, un point c'est tout, pour que vous compreniez bien. On reproche à ceux qui me rémunèrent leurs méthodes pour se défaire de la concurrence ou de certains gêneurs, méthodes qui sont, il est vrai, parfois expéditives. Mais tout cela n'est rien comparé aux innombrables morts imputables au capitalisme et à l'ultralibéralisme.

« Le monde est devenu commerce, vous le savez. Il n'est plus un champ du savoir. La science a peut-être guidé l'humanité pendant un temps, mais, aujourd'hui, seul l'argent importe. Le posséder, le garder, l'acquérir, le faire circuler. Mes employeurs sont certes animés d'intentions humanitaires mais ce sont aussi des hommes d'affaires. Ils essaient de concilier des aspirations qui sont souvent éloignées les unes des autres. Mais on ne cesse de leur mettre des bâtons dans les roues ! Tenez, les frontières par exemple. Les frontières sont des tracas ineptes quand il s'agit de sauver des vies, vous en conviendrez ? Mes employeurs ont donc imaginé de discrètes routes maritimes, pour permettre au plus grand nombre de ces malheureux d'atteindre la terre promise, sans en être empêchés par des chicaneries administratives. »

Il se resservit et sa voix changea soudain. Il parla plus lentement, avec une langue devenue pâteuse.

« Tout marchait bien jusqu'il y a peu. Et puis quelques problèmes sont survenus. Des problèmes qui peuvent paraître mineurs, mais qui ont malgré tout dérangé la belle harmonie de ce qui avait été imaginé par mes employeurs, et effrité la confiance qu'on pouvait leur porter, celles des futurs clients en premier lieu. Et cela, comme vous pouvez l'imaginer, ils le vivent très mal.

« Disons pour simplifier que certains individus, qui ne possèdent aucunement leur expérience, leur savoir-faire et leur sérieux ont tenté de proposer les mêmes services qu'eux. Non seulement ceux qui m'envoient ont subi un manque à gagner, minime au départ, mais qui pourrait augmenter, mais en plus et surtout, quelques *incidents* se sont produits : les trois corps que vous avez découverts sur la plage en témoignent. C'est fâcheux. Comment après de tels faits conserver la confiance indispensable de la clientèle ? N'est-ce pas ? Et comment continuer aussi à œuvrer dans la plus grande discrétion, discrétion à laquelle sont pathologiquement attachés mes supérieurs ? Je suis simplement venu ici pour vous avertir. Pour dire que nous savons. Pour dire que ça suffit. »

XXV

Au vrai, le Docteur comprenait sans comprendre. Il entendait les menaces. Il devinait, sans que jamais le Commissaire ait prononcé leur nom, qui étaient ses employeurs dont il n'avait cessé de vanter les qualités altruistes. Il savait que personne, sur l'île comme en tout autre lieu, n'avait intérêt à se mettre en travers de leur chemin et à contrecarrer leurs intentions.

Comme chacun, il connaissait trop bien leurs méthodes et leur puissance. Ils formaient un État dans l'État, employaient quantité de gens, en éliminaient quantité d'autres qui les gênaient, sans remords et dans des conditions suffisamment barbares pour qu'elles frappent les esprits et produisent un effet pédagogique.

On comparait souvent leur organisation à une pieuvre, ce qui le chagrinait toujours car la pieuvre est l'animal le plus doux qui soit, gracieux, qui vit en bonne entente avec les autres créatures du monde marin, et passe l'essentiel de sa vie en ermite, dans quelque cavité profonde, à l'abri de tous les regards et sans causer aucun mal.

Mais ce que le Docteur ne comprenait pas, c'était pourquoi le faux policier voyait l'île comme le grain de sable dans le mécanisme commercial imaginé par ceux qui l'envoyaient ? En quoi le fait que trois cadavres se soient échoués sur le rivage les désignait-il comme des concurrents dont il leur fallait se défaire ?

« Soit vous êtes un crétin, soit on vous cache des choses alors que vous pensez tout savoir, et si on vous cache des choses, c'est qu'on vous prend pour un crétin. »

Le Commissaire posa son verre, presque à regret, et saisit la serviette en cuir râpé qui était à ses pieds. Il en tira une liasse de feuilles qu'il posa sur le bureau du Docteur.

« Je suppose que le Maire a fait circuler celles que je lui avais laissées ? En voici d'autres. Vous serez sans doute frappé par leur qualité et leur précision. Le fameux œil de Dieu, mais Dieu à des quantités d'yeux de nos jours, toujours ouverts, et qui nous regardent sans cesse. Il suffit simplement de frapper à la bonne porte pour récolter ce que ses yeux ont vu. Mes employeurs ont de nombreuses relations, ce n'est pas difficile pour eux. Allez-y, prenez votre temps. »

Il se rejeta en arrière, saisit la bouteille et se resservit. Il but son verre d'un trait et sourit.

Les photographies étaient de deux ordres. Sur la moitié d'entre elles, on voyait la scène du fameux matin de la découverte des corps, les différents protagonistes, aisément identifiables et les différents moments de la scène : les uns et les autres autour de la bâche, en rond, et on aurait pu croire à une prière autour d'un autel improvisé. Puis le départ de la Vieille, de son chien, de l'Instituteur, du Docteur, d'Amérique et du Spadon. L'arrivée de Spadon avec la charrette. Spadon et le Maire soulevant la bâche et chargeant les corps sur la charrette.

La seconde série de photographies déroulait en quatre étapes un film tragique, comportant des ellipses qui accéléraient le mouvement et ainsi augmentaient encore son vertige.

La première montrait un bateau sur lequel s'entassaient des dizaines d'hommes noirs, debout les uns contre les autres, au point qu'on ne pouvait distinguer ni le pont du bateau ni sa cabine de pilotage, rien de ce qui aurait permis de le reconnaître. Sur la deuxième photographie, on voyait toujours beaucoup d'hommes entassés vers l'arrière du bateau mais on distinguait désormais parfaitement la proue et une partie du pont. La surface de la mer qui apparaissait uniformément bleue sur la première photographie se piquetait de points sombres sur la deuxième image, répartis autour de l'avant du bateau. Sur le troisième cliché, le nombre de points noirs dans l'eau s'était multiplié par deux ou trois, et on n'apercevait plus que deux hommes blancs sur le pont, le pont peint de cette couleur rose tyrien si caractéristique de l'île, puisque tous les bateaux en sont peints, à tel point que c'est une signature, un mode de reconnaissance, et de fierté aussi, deux hommes blancs qui tenaient dans leurs mains un objet qui aurait pu être un fusil, un bâton ou une partie de harpon. Sur la dernière photographie, le bateau avait fait une manœuvre pour virer complètement de bord, on ne distinguait plus que sa poupe, le reste étant hors cadre. Dans l'eau bleue, les points noirs, toujours nombreux, et dont certains avaient les bras levés vers le bateau qui s'éloignait. On les voyait, ces bras levés. Des bras levés vers celui désormais qui contemplait l'image, lui qui avait reconnu le bateau et deviné que les deux hommes étaient des pêcheurs de l'île.

Le Commissaire remplit de nouveau son verre et le poussa vers le Docteur.

« Je pense que vous en avez besoin plus que moi. Vous êtes tout pâle. Comment m'avez-vous dit il n'y a pas dix minutes à propos de tous vos livres ? Qu'ils vous avaient appris le monde, la vie et les hommes ? Eh bien, vous n'avez pas lu les bons et, malgré votre âge, une grande partie de votre éducation reste encore à faire. »

Le Docteur but le verre. L'alcool lui emplit la gorge d'un feu violent. Il repoussa les photographies, comme si les éloigner allait suffire à faire disparaître ce qu'elles montraient. La tête lui tournait. Le Commissaire les rangea dans sa serviette.

« Drôles de pêcheurs vous en conviendrez, qui jettent à l'eau sans remords le produit de leur pêche. Et tout cela à cause de quoi ? D'une vedette qu'ils avaient sans doute prise pour une embarcation des garde-côtes et qui en vérité ne faisait que du trafic de cigarettes, je suis bien placé pour le savoir, et qui les a poursuivis un peu pour leur faire peur. »

Le Commissaire tira sur son cigare et contempla sa braise ainsi que la fumée qu'il rejeta avec lenteur.

« Quel gâchis ! Tant de morts pour une méprise, pour un peu de tabac de contrebande ! »

Il se leva.

« Je vous quitte. Il faut que je fasse ma valise. J'ai rempli ma mission. Je pars demain. Je n'ai plus rien à faire sur votre caillou. J'ai l'impression d'y être resté mille ans. Rien ne passe ici. Le temps encore moins que tout. Démerdez-vous entre vous désormais. Vous avez de quoi faire. À vous de régler vos comptes. Je pense que vous n'aurez guère de difficultés à découvrir qui sont ces deux imbéciles. Cela ne me concerne plus. Mais ne me forcez pas à revenir, moi ou quelqu'un qui me ressemble. Notre patience a des limites. Tout le monde vous ignorait jusqu'à peu. Faites en sorte qu'il en soit de nouveau ainsi. »

Le Commissaire était de ceux qu'on ne remarquait pas et qui passent dans la vie sans y laisser une empreinte profonde. L'improbabilité de son existence se trouva encore renforcée peu après son départ.

On le vit prendre le ferry le mardi matin. Plusieurs témoins, à commencer par le Cafetier, jurèrent l'avoir vu monter à bord. Le Capitaine ne dit pas non plus le contraire, même s'il était moins affirmatif, retenu qu'il était à ce moment par un problème de fuite sur un des moteurs.

Ce qui est par contre indubitable, c'est que le Commissaire ne débarqua pas sur le continent. Il s'était évaporé durant le trajet, comme la fumée de son cigare. Qu'il se soit envolé, jeté par-dessus bord, ou que ses employeurs, si soucieux de discrétion comme il l'avait assez répété, l'aient supprimé, au fond cela n'a aucune importance. Pour les habitants de l'île, son existence n'avait duré que quelques jours. Avant ces jours, il n'existait pas. Après eux, il n'existait plus.

La brièveté de l'existence du Commissaire rejoignit celles des trois cadavres échoués. L'ironie fait que pour ces derniers, c'est le moment de leur mort qui les fit exister, au point qu'ils demeurent encore et toujours, terribles et accusateurs, dans chaque heure qui passe.

XXVI

Le Maire se tenait devant le Docteur. Tous deux silencieux. Tous deux debout. Le Docteur ne souriait plus. Le Maire ne l'avait pas vu souvent ainsi. Sans son sourire. Sans la teinture ridicule dont il affublait sa moustache. Sans son costume de lin élégant et souillé. C'était le matin du mardi. Il n'était pas sept heures. Le Docteur portait un informe pantalon et un vieux chandail, au-dessus d'un pyjama vert qui dépassait aux chevilles et aux manches. Le Maire avait passé un peignoir gris. Gris comme ses cheveux. Gris comme sa peau. Gris comme ses yeux.

Deux statues posées côte à côte, avec un vide immense entre elles deux, dont ne rendait pas compte le faible espace qui les séparait, dans la belle pièce de la maison du Maire.

« Et ces deux hommes sur le pont, on les reconnaît ?

— Non.

— Tu es certain ?

— Certain.

— Cette ordure doit avoir d'autres photographies. Des photographies sur lesquelles on pourrait les reconnaître.

— Évidemment.

— Alors pourquoi ne pas les avoir montrées ?

— Pour que le soupçon soit complet. Pour que personne ne soit épargné. Ces deux hommes, ça peut être tout le monde. Ça peut être toi. Ton voisin. Chacun ici. Moi pourquoi pas. C'est ça qu'il voulait. Pourrir nos jours. Pourrir nos vies. Que nous nous regardions tous les uns les autres, en se demandant qui a fait ça.

— Le salaud !

— Ne te trompe pas de salaud.

— Qu'allons-nous faire ? »

Le Docteur réfléchit avant de répondre. Et sa réponse fut de celle qu'on trouve dans les livres, trop bien tournée, trop frappante et vraie pour qu'il ait pu l'inventer dans ce matin de chiffons. Sans doute l'avait-il ciselée toute la nuit tandis que le sommeil le fuyait avec constance.

« Il nous faudra tous vivre avec ce soupçon, et cela jusqu'à l'heure de notre mort. »

Le Maire soupesa la phrase. Ses yeux tombèrent vers le sol. Il reprit d'une petite voix.

« Mais toi, tu me connais. Tu sais bien que je suis incapable d'une telle monstruosité. Jeter à la mer des malheureux !

— Je te connais », répondit le Docteur, ce qui voulait tout dire et son contraire, mais le Maire se contenta de tourner les mots du Docteur dans le sens qui l'arrangeait. Il avait espéré une absolution. Le Docteur reprit :

« Mais comment appellerais-tu ce que tu as fait à l'Instituteur ? »

Dans la nuit, le *Brau* s'était une fois encore rappelé à la mémoire des hommes. Il avait grondé d'un grondement très long, peu marqué, et presque agréable en somme, comme peut l'être la caresse d'un appareil à masser qui soulage si bien la plante des pieds ou les lombaires endolories.

Dans ce matin de stupeur, tandis que le Maire et le Docteur restaient ainsi en silence, le *Brau* recommença, mais cette fois avec impatience. Ce fut une sorte d'aboiement bref qui fit bouger murs et meubles, grincer les portes et chuter trois assiettes du vaisselier du Maire. Elles se brisèrent sur le sol entre les pieds des deux hommes chaussés des mêmes pantoufles. Ils regardèrent les morceaux épars de faïence, dont les angles aigus et la tranche blanche soudainement mise au jour paraissaient phosphorescents. Puis ils se regardèrent. Chacun se demanda si quelque chose aussi ne venait pas de se briser irrémédiablement entre eux.

On reparla de l'Instituteur et du sort qu'il convenait de lui réserver. On avait allumé une mèche qu'il ne serait pas aisé d'éteindre. Sur la place avaient dormi encore des dizaines d'hommes et de femmes, gardiens improvisés d'un prisonnier dont elles se pensaient les propriétaires et se réclamaient d'être les juges, et qui, par le soupirail qui donnait sur la cave où il était retenu, n'avaient pas cessé de lui déverser des insultes.

« Tu pourrais revoir ton rapport sur la petite ?

— Je n'ai fait qu'écrire la vérité. Elle n'est plus vierge depuis longtemps.

— Je le sais autant que toi. Mais je sais aussi que l'Instituteur n'y est pour rien.

— Qu'as-tu promis à la petite ?

— Rien. Elle déteste l'Instituteur. Il représente tout ce qu'elle n'a pas chez elle, la douceur, l'affection, la bonté. Elle aurait rêvé d'être à la place de ses filles, mais elle est la fille de Fourrure. La vie est une loterie, on le sait tous. Ça suffit pour désirer faire le mal. Certains commencent tôt. L'enfance n'est pas toujours un jardin fleuri.

— À toi de la convaincre de dire la vérité maintenant. C'est toi seul qui as créé cette situation.

— Je le faisais pour nous tous.

— Personne ne te l'a demandé, mais si ça t'arrange de le penser. De toutes les façons, il y aura toujours ici des gens pour continuer à croire l'Instituteur coupable, quoi que tu fasses, quoi que tu dises. Il faudra qu'il parte. Vite. L'île n'est plus pour lui. C'est bien ce que tu voulais, non ?

— L'île n'a jamais été pour lui. Elle est déjà si peu pour nous. »

Le Maire s'accroupit et commença à ramasser les morceaux d'assiettes.

« Tu comptes les recoller ?

— Pourquoi dire des choses aussi bêtes ? »

Il fallut bien aller rendre visite à l'Instituteur afin de le libérer. Le Docteur accepta d'accompagner le Maire. Ils se donnèrent un court moment pour se laver et se changer, et permettre aussi au Maire de se rendre chez Fourrure et de parler à la petite. Puis ils se retrouvèrent devant l'église, face à la mairie, dans la chaleur déjà violente du jour qui n'était pourtant vieux que de quelques heures. Le ciel n'existait pas, perdu qu'il était dans un aplat plombé fait de hauts nuages lisses que le soleil chauffait sans se montrer pour autant. On entendit corner le ferry qui quittait le port en emportant à jamais le Commissaire.

Quand ceux qui avaient campé sur la place aperçurent le Maire et le Docteur, ils vinrent à eux. La nuit et la haine avaient malmené leur visage en leur donnant des façons de vieux papiers froissés. Les hommes avaient la peau des joues salie de poils noirs. Celle des femmes prenait la couleur d'une eau de vaisselle au milieu de laquelle deux yeux rouges et des lèvres sèches dessinaient des figures abstraites. On les sentait toutes et tous animés de la même fièvre, avides de mort, cette fièvre sans doute qui tourmentait jadis le public des échafauds en donnant soudainement, dans le décollement des têtes et le jaillissement du sang, un sens brutal à leur vie, une goulée de puissance et de plaisir.

Les mots du Maire ne parvinrent qu'assez peu à les calmer. On les dépossédait en quelque sorte de ce qui, en quelques heures, était devenu le pourquoi de leur existence. On les volait. On leur faisait les poches. Que leur importait de savoir que les propos de la petite avaient été mal compris, que le Docteur n'était plus sûr de rien, que le Commissaire lui-même disculpait l'accusé ?

Certains mots construisent des murs que d'autres mots ne parviendront jamais à ébouler. Le Maire leur dit de rentrer chez eux. Mais chez eux il n'y avait rien qu'un quotidien débordant d'ennui et de ressassement, quelque chose de connu et de monotone, dont on avait fait le tour et qui donnait la nausée. Au lieu que là, sur la place, on s'était soudain senti autre. Il est bien dur de redescendre de ses rêves.

Le Maire referma par précaution la porte de la mairie à clé dès qu'ils y furent entrés. Il monta lentement le grand escalier pour se rendre dans son bureau où il prépara du café. Le Docteur le regarda faire. Aucun des deux ne dit un mot. Leurs pensées étaient occupées par toutes les images que le Commissaire y avait semées. Puis, toujours sans rien se dire, ils descendirent à la cave. Le Maire tenait une tasse de café dans une main, et un trousseau de clés dans l'autre. Le Docteur malmenait son premier cigare, qu'il n'avait pas encore allumé. Il n'était pas parvenu à poser de nouveau son sourire bien connu sur son gros visage rond. De même qu'il avait renoncé à se teindre la moustache. Cela paradoxalement le rendait plus jeune et plus fragile.

Le Maire frappa à la porte de la cave, moins pour attendre la permission d'y entrer que pour prévenir l'Instituteur de leur arrivée, afin qu'il ait le temps d'arranger sa tenue peut-être. Il introduisit la clé et fit jouer la serrure. Il poussa la porte en s'apprêtant à dire bonjour, mais le mot resta à jamais dans sa bouche : au bas du lit improvisé, les yeux clos et le visage légèrement bleu, gisait l'Instituteur.

On ne pouvait pas être plus mort que lui.

XXVII

Qu'est-ce que la honte, et combien la ressentirent ? Est-ce la honte qui rattache les hommes à l'humanité ? Ou ne fait-elle que souligner qu'ils s'en sont irréversiblement éloignés ?

Ils avaient tué l'Instituteur. Il faut le dire. Certes, ils ne l'avaient pas tué de leurs mains, mais ils avaient construit sa mort, comme on assemble un mur, pierre après pierre. Chacun d'entre eux avait apporté la sienne, ou préparé le mortier, charrié la brouette, porté un seau d'eau, tenu la truelle, versé un peu de sable dans le ciment trop liquide.

Sa mort était une œuvre commune.

Sa femme ne s'y est pas trompée qui dans la nuit suivante, la nuit de douleur et de stupeur, frappa des deux poings à chaque porte, moins pour qu'on lui ouvre que pour désigner que derrière cette porte qui demeurait close se terrait un coupable, et elle cracha sur chaque porte, n'en oubliant aucune, tout en lançant des hurlements de louve dans toutes les ruelles de la ville, jetant sa rage en un langage qui n'était pas composé de mots mais de râles. Ses deux fillettes la suivaient, silencieuses, le visage blanc et placide, comme une escorte tragique, en se donnant la main.

Une seule porte s'ouvrit sous ses coups. Celle de la Vieille. La Vieille qui fit face à la femme de l'Instituteur, qui ne lui dit rien, qui la regarda, les yeux dans les yeux, qui ne lui dit rien non plus quand la femme lui cracha au visage, qui ne lui dit rien non plus quand la femme la gifla, à cinq reprises, des gifles comme des coups de poing qui firent vaciller la Vieille, mais ne la firent pas tomber. Et la Vieille resta ainsi, debout, avec les crachats sur le front et les joues, et les marques des coups, rougeâtres, sur les tempes et les pommettes, et une paupière qui se gonflait et devenait violette, tandis que la femme et les deux fillettes reprenaient leur cortège implacable et que la nuit les buvait comme un lait amer.

La Vieille avait-elle ouvert sa porte par expiation ? Pour devenir ainsi l'île à elle seule ? Pour les résumer toutes et tous. Elle s'était offerte à la rage et aux coups, pour tous. À leur place. En leur nom. Mais la Vieille ne se préoccupait peut-être de rien d'autre que d'elle-même, son geste ne se teintait d'aucune noblesse, et si elle avait ouvert la porte, c'était pour dire qu'elle était bien vivante, elle, et là, droite, ne se reprochant rien, pour dire qu'elle avait les deux pieds dans la vie et que le vacarme de la femme de l'Instituteur ne l'atteignait pas, et ne l'empêcherait pas d'exister.

Quand le Docteur se précipita près du corps, il ne put que constater sa froideur et sa rigidité. Voilà de longues heures que l'Instituteur était mort. La blondeur de sa chevelure bouclée tranchait sur le teint de sa peau, non pas blême, mais d'une légère teinte azur avec çà et là des marbrures cyanosées qui permirent au Docteur de comprendre que le malheureux était mort asphyxié.

La responsable de cela se tenait tout à côté du corps, immense et parallélépipédique, hautaine dans son corset de métal, la gueule ouverte sur sa gorge de flammèches, diffusant dans le faible volume de la cave close son haleine de monoxyde de carbone, invisible et inodore.

Le Maire, qui avait lui aussi compris, se précipita vers le soupirail qui avait été totalement obstrué avec une grosse couverture et des sacs en plastique. L'Instituteur avait sans doute fait cela pour essayer de ne plus entendre les insultes que la foule au-dehors venait lui dire, comme tout à l'oreille. Il était loin d'être un idiot. Il savait la présence de la chaudière et les dangers du gaz, mais il est difficile de croire qu'il ait agi ainsi consciemment, choisissant de mourir de cette façon. Il était faible. Il était épuisé. Il n'avait plus les idées claires, et qui les aurait eues à sa place ? Il ne voulait pas mourir. Il n'avait pas mesuré les conséquences de ce qu'il faisait.

Le Docteur ouvrit grand la porte. L'air empoisonné par les émanations de la chaudière fut aussitôt chassé. Le Maire contemplait le corps, incrédule et paniqué. Sans doute se disait-il que, mort, l'Instituteur devenait encore plus gênant que lorsqu'il était vivant. C'était là au fond son triomphe car les morts, quoi qu'on dise, ont toujours raison.

On fit chercher le Curé par la Secrétaire qui venait juste d'arriver, fardée et parfumée comme si elle allait au bal, mais à qui on ne dit rien sinon qu'on avait besoin du prêtre. Il vint aussitôt. Étrangement, aucune abeille ne l'accompagnait. Il ne parut pas surpris mais profondément triste. Il se recueillit devant la dépouille qu'on avait replacée sur le lit. Il ne dit aucune prière, ne se signa pas, ne bénit pas le corps de l'Instituteur. Après un temps long et lourd, il se tourna vers le Docteur et le Maire :

« Le sentez-vous désormais ?

« Qui donc ? demanda le Maire.

« Lui, dit le Curé en désignant le mort. Votre nouveau locataire. Il est ici, reprit-il en tapotant son crâne avec son index. Dans chacune de vos têtes. Il vient de s'y installer. Il n'en bougera plus. Désormais, vous le logerez à demeure, jusqu'à la fin de votre vie. Nuit et jour. Il ne sera guère bruyant, mais vous ne pourrez jamais l'expulser. Il faudra vous y faire. Bon courage. »

Et après avoir essuyé ses grosses lunettes avec sa soutane, il les planta tous les deux là, à ruminer ces phrases de philosophe immobilier, avant d'aller prévenir celles qui ne savaient pas encore que, durant la nuit, elles étaient devenues veuve et orphelines.

XXVIII

Il existe un roman russe qui parle d'une ville désertée par tous ses habitants. On ne connaît pas la raison de cette fuite. L'auteur reste énigmatique : guerre, maladie, incident nucléaire. On ne sait rien. On ne saura jamais. L'époque n'est pas non plus précisée. La ville est intacte mais vide. Les portes des maisons ne sont pas closes. On peut y entrer.

L'auteur les fait visiter, au cours de longues descriptions qui peuvent ennuyer. La vie s'est retirée de la ville comme une vague emportée par le ressac. Dans beaucoup de maisons, la table est mise dans la cuisine ou le salon. Le pain est disposé. L'eau dans les cruches. Les plats sont dans des casseroles, posées sur des feux éteints.

Les aliments ne sont pas corrompus, comme si la fuite avait eu lieu dans la minute précédente. Parfois, une chaise est renversée, ou une armoire est ouverte, qui témoignent toutes deux de la précipitation du départ des habitants.

Ainsi va la première partie du roman, qui emmène le lecteur dans de nombreuses rues, qui le fait entrer dans de nombreuses maisons. S'installe alors une atmosphère étrange, comme celle qui prévaut dans un rêve, un curieux rêve dont on ne sait s'il est agréable ou déplaisant.

Le lecteur se surprend presque à somnoler mais il continue sa visite au fil d'une centaine de pages et lorsque soudain, pénétrant dans le corridor d'un immeuble, à l'invitation de l'auteur, il découvre un homme occupé à tenter d'ouvrir une boîte à lettres, il ressent un choc intense. Tout n'était que décor, choses inertes, et voici soudain un homme. Un homme occupé à une tâche banale, relever son courrier.

Mais l'homme peine à ouvrir la porte de la boîte à lettres. Il n'en possède pas la clé. On se dit qu'il se trompe peut-être de boîte, mais il insiste sans pour autant parvenir à l'ouvrir. Il finit par se lasser, monte l'escalier, entre dans le premier appartement, en fait le tour. Puis va dans le second, et ainsi de suite.

On se demande soudain qui il est et ce qu'il peut bien faire. Ce n'est pas un voleur, il ne dérobe rien, même s'il touche souvent les objets, les tissus, prend les cadres, contemple les photographies. Son visage ne se marque d'aucune expression.

En sortant de l'immeuble et en entrant dans un pavillon, il découvre un autre homme. Ou plutôt, le lecteur découvre ce deuxième homme, car le premier ne semble pas le voir, de même que le second ne voit pas le premier. Ils se frôlent pourtant, mais s'ignorent.

Et le roman continue, des femmes apparaissent, des enfants, des vieillards, d'autres hommes. La ville se remplit de cette foule nouvelle, silencieuse, muette, qui possède la particularité d'être composée d'individus totalement indifférents les uns aux autres, invisibles les uns aux autres. Le lecteur seul les voit.

Alors il comprend. Ou plutôt l'auteur le lui fait comprendre. Il lui fait comprendre que tous sont des morts. Qu'aucun ne se voit. Que la ville est devenue la ville des morts. On ne sait s'il existe encore des vivants, quelque part. Mais quoi qu'il en soit, cette ville-là n'est plus pour eux. Elle appartient aux seuls morts. Ils ont choisi de venir sinon l'habiter du moins la fréquenter. C'est une ville terrible ainsi. Une ville invivable. Le lecteur est effrayé en refermant le livre.

La nuit qui suivit la mort de l'Instituteur, la petite ville était déserte. Emportés ses habitants. Enfouis. Disparus. Dissous dans les murs épais de leurs maisons. Portes closes sur lesquelles se fracassaient les poings de la Veuve, ses poings et ses hurlements.

Et aujourd'hui, l'île est devenue la ville du roman russe. La terre est morte sous les vomissures incandescentes du *Brau*, les eaux sont mortes et ne contiennent plus que des épaves de bateaux. Les heures sont mortes qui ne portent plus aucune joie ni espérance. Seuls les disparus prennent désormais leurs aises, dans les rues, dans les maisons, sur les places, vers le port. L'Instituteur, les trois jeunes noyés noirs, leurs compagnons par milliers, innombrables, bus par les flots ou poussés par-dessus bord. La ville est trop petite pour eux tous. L'île est trop petite. Ils vont dans les rues, trempés, muets, sans haine ni colère. Ils ignorent les autres mais les autres les voient. Ils leur rappellent qui ils sont et qui ils n'ont pas voulu être.

Le ferry a emporté le cercueil, de l'Instituteur, et sa femme, et ses fillettes. Le ferry n'a pas corné. La femme de l'Instituteur et ses jumelles, de part et d'autre du cercueil, fixaient le port, la ville, le volcan, l'île. Elles fixaient tout cela avec leurs yeux de pierre. Les maisons étaient restées closes. Les habitants absents. Invisibles. Seul le Curé les avait accompagnées sur le port. Et il était resté là, à regarder le ferry disparaître, le ferry silencieux avec à sa poupe la Veuve et les fillettes, le cercueil, et dans le cercueil le corps d'un homme qui avait quant à lui essayé de mériter le nom d'homme.

Il fallut quelques jours pour qu'on parvienne à recommencer à faire semblant. À tenter de reprendre le cours ordinaire des choses. Chacun refit les gestes qu'il savait faire. On échangea des propos sans importance. On ne reparla plus jamais de l'Instituteur, même si on y pensait sans cesse, même si ce qu'avait dit le Curé au Maire et au Docteur se révélait d'une effroyable exactitude.

De la même façon, entre le Maire et le Docteur jamais plus il ne fut question du bateau et de son funeste chargement humain que le satellite avait photographié. Sans se concerter, ils avaient décidé de ne rien dire et de ne pas en savoir davantage. De ne pas chercher à reconnaître le bateau sur les photographies, ni les deux hommes. Seul le Curé fut mis au courant, mais il l'avait été dans le secret de la confession, et lui qui ne croyait plus en grand-chose, pas même peut-être en Dieu, respecta son vœu de silence et ne répéta à personne ce que le Maire lui avait confié ainsi.

Car c'était lui, le Maire, sous ses allures de trique incassable, qui ressentait régulièrement le besoin de vidanger son âme auprès du Curé, non pour chercher auprès de lui un quelconque pardon, mais parce que le simple esprit d'un homme ne peut jamais tout garder du mal qui s'y déverse et qu'il sécrète, et que cette saignée régulière l'apaisait pour un temps, et lui permettait de se supporter et de supporter le monde.

Car il fallait continuer à vivre. Vivre tout en sachant que parmi cette communauté vivaient aussi des négriers, des marchands de corps, des trafiquants de rêve, des voleurs d'espoir, des meurtriers. Des êtres qui, se sentant traqués, n'avaient pas hésité à précipiter dans les eaux de la *Salive du Chien* des dizaines de leurs semblables qui tous s'étaient noyés. Ces hommes étaient là, tout proches, ces hommes assassins d'autres hommes.

XXIX

Dix jours après que le ferry eut emporté la dépouille de l'Instituteur, sa Veuve et ses petites jumelles, Biceps alla à pas très lents vers le banc au bout de la jetée. Le banc du *S'tunnella*.

Biceps était le doyen des pêcheurs. Il mentait un peu en disant qu'il avait passé cent ans mais il ne devait pas en être loin. On l'appelait Biceps parce que dans sa jeunesse il avait eu, paraît-il, des muscles remarquables, qu'il exhibait dès qu'on le lui demandait. Personne n'était là pour s'en souvenir, et Biceps n'était plus désormais qu'un mince assemblage d'os fragiles, d'un peu de chair sèche et de beaucoup de peau plissée. Une canne faite dans un cep de sa vigne lui servait de jambe véritable. Il ne voyait plus guère, avançait avec la lenteur d'une limace, mais la tête fonctionnait encore assez bien.

Il s'assit sur le banc et attendit. Quelques instants plus tard, il fut rejoint par la Perle, Sieste et Culsec, trois autres vieux pêcheurs dont il n'est point besoin d'éclairer les surnoms, et qui marchaient un peu mieux que lui, ayant tous trois à peine dépassé les quatre-vingt-dix ans. Le colloque pouvait commencer.

Il dura un peu plus d'une heure. Une heure pendant laquelle les quatre vieux firent face à la mer en essayant de la lire, de la deviner, de savoir si les grands bancs de thons qui remontaient du sud étaient au plus profond d'elle, à portée de l'île, à portée de bateaux et de filets. C'était chaque année la même divination.

On les vit enfin se lever et revenir vers le port, Biceps en tête, glissant sur le pavé plus qu'il ne marchait, à la façon de ces robots qu'on offre à la Noël aux enfants et qui fonctionnent quelque temps avec des piles, puis s'essoufflent. Les trois autres n'osaient le dépasser, par respect. Près de dix minutes plus tard, ils atteignirent enfin le port où les pêcheurs les attendaient en silence, tête nue, la casquette à la main.

Biceps reprit son souffle, puis il dit la formule rituelle, d'une voix forte qu'on n'aurait pas soupçonnée dans un corps aussi usé :

« *Voici venu le temps du* S'tunella. *À vos bateaux, pêcheurs, et vous, mères, épouses et enfants, priez pour eux !* »

D'ordinaire, des cris de joie et de la musique accompagnent la phrase. On est heureux. On ouvre des bouteilles. On joue un peu de musique. On trinque.

Rien de tel n'eut lieu cette année-là. La phrase fut accueillie dans le silence, si bien que Biceps crut que personne ne l'avait entendue. Il la répéta donc. Mais ce fut de nouveau le silence. Les pêcheurs se recoiffèrent et se dispersèrent. Ils allèrent vers leurs bateaux vérifier si tout le matériel s'y trouvait bien, puis vers leur maison prendre le dernier repas entourés de leurs familles. Chacun se coucha tôt. Le lendemain, tous partiraient avant l'aube.

Beaucoup ont entendu parler du *S'tunella* sans en retenir forcément le nom. Beaucoup sans doute en ont vu aussi des images et parmi elles les plus connues où l'on découvre le rond des bateaux de pêche et au centre de ce rond, des milliers de thons furieux qu'on harponne et qu'on gaffe, avant de les hisser à bord, tandis que la mer prend la couleur de leur sang, la mer soudain devenue d'un rouge épais qui teinte jusqu'aux cuisses nues, aux torses et aux visages des pêcheurs.

Le *S'tunella* relève davantage de la chasse que de la pêche. Son origine se perd dans la nuit des temps et celle des légendes. C'est la pratique balbutiante d'un peuple de la terre accoutumé à traquer la sauvagine et que les aléas, les guerres ou les famines ont poussé vers la mer, sur laquelle et dans laquelle ils ont tenté de perpétuer les ruses de la chasse.

Dans cette pêche si particulière, qui n'existe dans nul autre endroit au monde, les bateaux sont disposés dans un ordre qui est celui de la traque lors des battues de grands gibiers, qu'on peut penser avoir été en usage pour chasser le renne, l'aurochs et le bison. Sur chaque bateau, les hommes hurlent au travers d'une sorte de tube de bois, le *kaffin*, dont l'extrémité plonge dans les flots, et frappent la coque de l'embarcation avec le manche de leur harpon. Le but est d'effrayer les bancs de thons, grâce à l'écho de ce vacarme, et de les pousser vers une zone qu'on aura définie auparavant, et vers laquelle convergent tous les bateaux en laissant dériver derrière eux de grands filets lestés.

Cela peut prendre des jours. On dit alors qu'on *bat la mer*. Les pêcheurs les plus expérimentés parviennent d'ailleurs à sentir les réactions de cette mer soumise à ce vacarme. On dit qu'elle *se hérisse*, qu'elle *tend le dos*, qu'elle *frémit*, qu'elle *dissimule*, qu'elle *tempête*, qu'elle *ruse* ou qu'elle *se serre*, selon ce que ces hommes alors devinent d'elle, et surtout ce qu'ils devinent être les mouvements de ce poisson aux allures de gros obus qu'est le thon rouge. Le thon, cet emblème, ce monarque. Le poisson majeur, qui vient sous le crayon dès qu'on tente de représenter ce qu'est un poisson. Comme un geste parfait, un dessin d'enfant, pur, sans écart, sans faute, une ligne évidente qui signe le génie.

La peau du thon ne présente aucune écaille. C'est un fuselage. Quand on le tranche, on dirait qu'il est arbre. Son œil est humain et vous juge. Sa chair compacte évoque le muscle d'un guerrier. Ses blessures sont dignes. Sa mort lente à venir. Lorsqu'on l'aperçoit glisser dans les courants, par centaines, dans les profondeurs translucides, et que le soleil tente de fouiller le plus loin possible le ventre de la mer, il se cogne contre les dos d'un gris d'étain. Au contraire des bancs d'orphies, de sabres ou de barracudas qui jouent de la lumière comme d'un instrument de musique, une sorte d'orgue aquatique dont on perçoit parfois la lointaine mélodie, le thon absorbe les rayons du soleil et ne les rend jamais. Il fend les profondeurs, comme le soc le fait de la terre. Il strie la mer dans le silence de son tracé parfait, lancé par des canons invisibles, au loin de tout.

Le *S'tunella* signe tout à la fois la vénération que les hommes lui portent et sa mort grandiose. Dans l'arène que forment les bateaux quand ils finissent après plusieurs jours et plusieurs nuits par se rejoindre en ayant poussé devant eux les bancs énormes, se joue le dernier acte.

Les grands poissons pris au piège s'entrechoquent et jaillissent hors des flots, poussant leur masse vers le ciel, se donnant l'illusion de pouvoir s'envoler. Les hommes sur les embarcations lancent les harpons qui s'enfoncent dans les corps compacts, parfois glissent sur les peaux dures et luisantes, sans les blesser. On croirait voir une scène primitive comme celles que les premiers hommes ont peintes sur les parois des cavernes.

Ce qui renforce encore le parallèle avec un acte archaïque est la coutume qui veut que les pêcheurs, au moment du cercle final, soient simplement vêtus d'un ample caleçon de coton blanc, le *runello*, qui tient plutôt du pagne, et qui se compose d'une seule longue bande de tissu qu'on s'enroule plusieurs fois autour de la taille et qu'on fait passer dans l'entrejambe. Au fur et à mesure que les thons sont harponnés et hissés sur les bateaux, au fur et à mesure que leur sang jaillit, le corps des pêcheurs et le cercle de la mer rougissent jusqu'à en chasser tout le blanc et tout le bleu.

Au formidable bouillonnement de la mer créé par les grands poissons, qui curieusement ne songent pas que leur salut pourrait venir dans une plongée profonde, bouillonnement qui précède la mise à mort et qu'on dirait provoqué par un gigantesque feu alimenté dans les abysses, succède l'ivresse violente qui vient du sang et de la mort.

Les pêcheurs tuent, dans un vertige qui dure plusieurs heures, possédés par leurs gestes qu'ils répètent mécaniquement, enivrés par les cris qu'ils poussent pour se donner du courage, par le vacarme des battements de nageoires qui entre dans les têtes et fracasse toute idée, toute conscience et tout sentiment.

Et les bêtes meurent, les unes après les autres, gros corps lourds dont seule la queue bouge encore et dont la pupille intacte rencontre l'œil du pêcheur qu'elle ne peut plus voir, cadavres au quintal hissés dans des ahanements libérateurs et qui s'entassent sur les bateaux comme les grumes encore chaudes de sève des milliers d'arbres d'une forêt décimée.

Lorsque plus rien ne bouge que la coque des navires, lorsque la houle indifférente a repris son doux battement et que tout s'est tu, une clameur formidable monte vers le ciel, poussée par les pêcheurs exténués, peinturlurés de sang et de sueur. Alors on compte les pièces et le bateau sur lequel gisent le plus de poissons devient le navire amiral qui prendra la tête de la flottille pour s'en revenir vers l'île, et sera le premier à entrer dans le port sous les applaudissements de toutes celles et ceux qui sont restés à terre.

Mais auparavant, et pour clore la cérémonie, le capitaine de ce bateau est proclamé *Re dul S'tunella*. Il n'a droit à aucune couronne, mais à un baptême, qui consiste à plonger dans le champ de bataille, dans la mer de sang, à s'immerger dans l'eau rouge et poisseuse, à y nager longuement et à en ressortir sous les acclamations, changé en une créature barbare à la peau violemment écarlate, à la chevelure de caillots et dont on ne distingue le visage du reste du corps que par les deux taches écarquillées et opalines de ses yeux exténués et la blancheur de ses dents.

La tradition veut que le *Re dul S'tunella*, debout à la proue de son bateau, rentre au port ainsi, sans se laver, souillé du sang noble de sa victoire, et que les autres pêcheurs gardent aussi sur leurs cuisses et sur leurs bras les marques du combat qui prouvent leur courage.

Pour qui a vu ainsi un jour le retour des pêcheurs, se gravent en son esprit des images qui paraissent sorties des épopées antiques. Cela donne alors à l'homme le sentiment doux et singulier de la force primitive, de la puissance de la vie, de la gravité de la mort, et de la place infime qu'il occupe au cœur du grand théâtre du monde, qui parfois pour lui daigne entrouvrir son rideau.

Mais cette triste année-là, il n'y eut aucun *Re dul S'tunella*.

Il n'y eut aucun roi car il n'y eut aucune victoire.

Il n'y eut pas même de bataille.

XXX

Les bateaux revinrent au port dix jours après en être partis, les cales aussi vides qu'à l'aller. Les corps des marins ne se teintaient d'aucun sang mais leur visage était tout à la fois marqué de stupeur et de gravité. Le grand poisson nourricier les avait fuis sans cesse. Jamais durant leur périple, ils n'en avaient entendu la rumeur ni aperçu les lueurs sourdes.

Ils descendirent de leurs navires sans dire un mot. Ils se frayèrent un chemin dans la foule incrédule sur laquelle s'était abattu un grand silence. Ils rentrèrent, honteux, se terrer dans les maisons. Le *Brau* gronda un peu, comme pour marquer son opprobre.

De mémoire d'hommes, on n'avait jamais connu cela.

Aussitôt des bouches parlèrent de malédiction. Quand on ne comprend pas certains faits, il est aisé de recourir à la magie et au surnaturel. Il se murmura que les fillettes de l'Instituteur avaient des regards de sorcière, qu'elles avaient maudit l'île, que les hurlements de la Veuve la nuit suivant la mort de son époux avaient déposé dans chaque maison les sortilèges de la vengeance et aussi ceux du mal. On dit qu'en quittant l'île sur le ferry, avec le corps du mort dans le cercueil de peuplier blanc, la Veuve et les enfants avaient attiré à elles tous les poissons de la mer, les avaient séduits, les avaient conduits dans leurs filets immatériels vers d'autres îles, d'autres pêcheurs, d'autres navires.

On raconta n'importe quoi.

Mais la vérité était que les bateaux étaient bel et bien rentrés sans aucune prise. Et le Maire eut beau se faire expliquer la campagne catastrophique, maltraiter ses hommes, les houspiller, les traiter d'incapables, il eut beau se pencher sur les cartes marines, parler avec Biceps et les autres vieux pendant des heures, consulter les anciens registres, réunir tous les pêcheurs, rien ne sortit de tout cela. L'homme est bien naïf ou très orgueilleux de penser que tout mystère peut se comprendre, et que tout problème peut se résoudre.

Le Docteur ne se déplaçait plus qu'avec un mouchoir devant le nez. La puanteur avait encore crû. Elle n'était pas seulement odeur, elle devenait goût. Il avait l'impression de la respirer et de la mâcher toujours. Les autres ne sentaient rien des odeurs de charogne et de viande faisandée. La Vieille haussait les épaules en le croisant, et le Maire faisait le signe de mettre son index contre sa tempe quand il tentait de lui en parler. Il sortait peu.

Dans son sommeil, les trois jeunes noyés venaient le visiter, se couchaient contre lui, ou restaient debout au fond de la chambre. L'eau coulait du bas de leur pantalon et s'étendait en une tache sur le parquet. La flaque grandissait. L'eau montait le long des murs. Elle envahissait la pièce jusqu'au plafond.

Il mourait en elle sans mourir. Il flottait. Il était emporté par les jeunes Noirs dans les courants profonds. Le rejoignait l'Instituteur, dont les cheveux blonds ressemblaient à des éponges. Il lui souriait un peu tristement, comme il l'avait fait le lendemain de la réunion secrète à la mairie qui avait suivi la découverte des corps. Il l'avait croisé dans la rue. C'était le matin. Il revenait d'avoir couru. Il s'était arrêté, un peu essoufflé, et avait dit :

« Vous ne m'avez guère aidé hier soir. »

Le Docteur avait haussé les épaules.

« Vous êtes pourtant intelligent. Je comptais sur vous. Et je suis certain que vous êtes un homme bon.

— Je suis surtout un homme lâche, lui avait-il répondu.

— Un homme lâche ? avait repris, songeur, l'Instituteur.

— C'est presque un pléonasme, non ? » avait conclu le Docteur.

Dans sa nuit, le voyage continuait vers la haute mer. Il dérivait parmi d'autres noyés et parmi des milliers de thons au regard ironique. Tous finissaient dans de grands filets noirs, au centre d'un cercle de bateaux. On les harponnait. Il sentait la pointe de la flèche entrer dans son flanc, le traverser de part en part, ricocher sur une vertèbre, briser un os et crever des viscères. Il n'avait pas mal pourtant. Et puis on le hissait.

Il se réveillait alors en songeant aux derniers mots écrits par Arthur Rimbaud, le poète français du XIXe siècle dont un volume de l'œuvre ne quittait pas son chevet. Tandis qu'amputé d'une jambe il agonisait dans une chambre d'hôpital, non loin du port de Marseille, Rimbaud avait écrit une courte lettre au capitaine du bateau sur lequel il espérait encore embarquer pour retourner en Abyssinie. Elle se terminait par cette phrase :

« Dites-moi à quelle heure je dois être transporté à bord. »

Cette question, chacun se la pose un jour, mais chacun fait pourtant semblant de continuer.

Le Docteur et le Maire mettaient la dernière main au dossier des Thermes, mais le cœur n'y était plus. Ils savaient sans se l'avouer que le projet ne verrait jamais le jour. Sans céder à la croyance d'une malédiction qui se serait abattue sur l'île, ils pressentaient tous deux que trop de cadavres l'encombraient, elle et ses rivages. La présence de ces morts pesait sur les vivants, et leur ôtait non pas le goût de vivre, mais le goût d'aimer la vie et d'espérer en elle. Tout cela était comme une tache sur un vêtement, un vêtement qu'on a aimé porter.

Ils passaient de longs moments ensemble, mais quelque chose était cassé, entre eux et dans leur monde. Le *Brau* donnait à entendre de plus en plus sa voix. Il n'y avait guère de jours sans qu'on sente sous les pieds et dans les maisons son frémissement agacé et sa rumeur de vieux fauve.

Le ciel les boudait. Le soleil ne paraissait plus. La chaleur n'en demeurait pas moins suffocante. Elle les tordait comme des linges. Il leur semblait aller dans une saison sans fin, brûlante et masquée. Ce n'était pas encore tout à fait l'île des morts, mais c'était déjà l'île des mourants. Cet automne-là, les raisins mis à sécher se changèrent en baies cendreuses. Quand on les pressa, il en sortit un jus sombre qui avait un goût de bois brûlé. Le vin qu'on en tira fut médiocre.

Avant Noël, une famille quitta l'île : le père, petit patron pêcheur que le stérile *S'tunella* avait ruiné, la mère, les enfants. Ce fut la première. Il y en eut beaucoup d'autres.

Amérique, qui avait perdu toutes ses vignes brûlées sur pied, alla se faire embaucher sur le continent. On dit qu'il entretient désormais les allées d'un antique zoo. Peut-être celui dans lequel se promenait le Commissaire quand il était enfant.

On retrouva le Spadon pendu un matin dans la chambre froide où le Maire et lui avaient entreposé les corps des noyés. Il ressemblait à une grosse stalactite, comme on en voit sous les toits des chalets dans les livres illustrés des contes nordiques, mais en s'approchant de la stalactite, on apercevait au travers de l'épaisse couche de glace son regard exorbité, sa bouche légèrement ouverte et la langue qu'il tirait.

Il avait écrit un petit mot pour expliquer son départ et se l'était accroché avec un hameçon sur sa vareuse. Mais quand on laissa fondre la glace autour de son corps, l'eau dilua l'encre, et il ne resta plus de son message que les premiers mots « Je sais qui » et c'est tout. Il savait. Il savait *qui*. Qui quoi ? La belle affaire. Cela ne l'avait pas sauvé.

La Vieille, sans rien demander à personne, reprit la classe. On voyait sa silhouette de couteau et son regard blanc au travers des vitres de l'école. Filles et garçons l'écoutaient, craintifs et gênés. Elle leur enseignait un monde perdu auquel ils ne comprenaient goutte. Beaucoup sans doute songeaient à l'Instituteur, dans une humeur de regret, se repassant dans leur jeune mémoire ses sourires et sa voix douce, tout le savoir présent qu'il savait leur transmettre. Mila aussi devait songer à lui. Le Docteur la croisait parfois dans les rues, son père avec ses faux cheveux de travers, toujours ivre, la tenant par la main non pas comme on tient sa fillette mais comme on emporte chez soi une femme ou une proie. Alors le Docteur détournait son regard.

Puis bientôt, avec le départ de la plupart des familles, il n'y eut plus d'enfants. Alors il n'y eut plus d'école. La Vieille s'enterra chez elle, avec son chien devenu si vieux qu'il ne parvenait avec ses pattes antérieures qu'à se traîner un peu au-dehors, dans la courette, et tous deux attendaient là. On ne savait quoi.

Il n'y avait plus de bateaux à quai. Les eaux dans l'*Archipel* étaient bel et bien mortes. Les poissons les avaient fuies comme si elles étaient devenues insalubres. Les pêcheurs avaient dû s'exiler, suivre les bancs ailleurs, au loin. Au loin de l'île. Seuls étaient restés les plus vieux d'entre eux dont la vie était déjà faite.

Tout disparut des cultures sous les rivières de lave lente et pâteuse que le *Brau* vomit pendant deux jours, au printemps suivant, les poussant jusqu'aux portes des premières maisons, remodelant le paysage, le couvrant d'une peau épaisse et ridée qui fit disparaître toute la géographie du passé.

Les quelques vignes et vergers de la colline du *Ross* qui avaient échappé aux coulures de magma séchèrent dans les semaines qui suivirent et jamais ne reverdirent. Le *Brau* but leur sève, calcina leurs racines, les empoisonna. Ne restèrent de ce qui fit la splendeur et la richesse de l'île pendant des siècles que des alignements de ceps nus sur le monticule chauve, des souches grises effritées par les termites et des arbustes glabres sur lesquels ne daignèrent même plus se poser les passereaux. La petite ville fut cernée par de hautes plissures noires et figées, comme une autre mer, morte et dure, stérile pour l'éternité.

Le Curé mourut après ses abeilles. Il vit ses essaims dépérir faute de fleurs à butiner. Il emplissait les poches de sa soutane de tous les corps secs aux ailes fines qu'il retrouvait chaque matin près des ruches. Il revenait en pleurant vers son presbytère. Il déposait les cadavres sur la table de sa cuisine. Cela faisait un tas d'un brun léger. Il passa ses derniers jours devant cette pyramide chitineuse, à veiller les abeilles mortes, à prier pour le salut de leur âme car il s'était mis de nouveau à croire en Dieu, depuis les événements, les interprétant comme le signe d'une malédiction venue d'En Haut pour frapper tous les habitants de l'île, et lui le premier qui depuis tant d'années se plaisait dans le doute constant de son *Jardin des oliviers*.

Au terme de trois jours, il enfourna par grandes pelletées les abeilles mortes dans son poêle et les brûla. Quand ce fut fait, il s'allongea sur son lit, tout habillé. Il mourut dans la nuit, les mains serrant son chapelet et son missel qu'il avait posés sur son ventre, ses lunettes à gros verres sur ses yeux clos.

Sans doute dans le Paradis auquel il croyait encore un peu y a-t-il une place dévolue aux épreuves féminines de saut en hauteur, une courbe de stade près de laquelle il se tient dans les gradins, en compagnie de quelques abeilles, admirant pour l'éternité les jambes fines et la taille légère de jeunes femmes envolées trop tôt, et qui tentent, dans un gracieux et sensuel mouvement cambré, de basculer au-dessus de la mort pour rejoindre la vie ?

On ferma l'église, qui était devenue une drôle d'arche avec son squelette de bateau, mais dans laquelle on n'entendit jamais nul cri d'animaux, et où Noé fit constamment défaut.

Le Déluge pourtant avait bel et bien eu lieu.

XXXI

Voilà. On y est presque. Je m'étais approché au bord du gouffre pour dire l'histoire. Elle va se terminer. Je vais m'effacer en rampant à reculons.

Je vais retourner dans l'ombre.

Je vais m'y dissoudre.

Je vous aurai laissé les mots. J'emporterai les silences.

Je vais disparaître.

Je vous avais promis de n'être que la voix.

Rien d'autre.

Tout le reste est humain et vous concerne.

Ce n'est pas mon affaire.

Le temps a passé sur l'île mais n'a rien arrangé. Ce n'est pas son rôle. Ovide a écrit que le temps détruit les choses, mais il s'est trompé. Seuls les hommes détruisent les choses, et détruisent les hommes, et détruisent le monde des hommes. Le temps les regarde faire et défaire. Il coule indifférent, comme la lave a coulé du cratère du *Brau* un soir de mars, pour napper de noir l'île et en chasser les derniers vivants.

Comme autrefois on appliquait un brassard sombre sur un être en deuil, la terre porte désormais la couleur des morts, et celle des funérailles. Cela pour des millénaires. Il fallait bien, d'une façon ou d'une autre, qu'il y ait une punition.

Le Docteur passa plusieurs semaines alité, avec une forte fièvre. Il ne présentait pourtant aucun signe de pathologie. Il délirait un peu. Il avait l'esprit confus. Il grelottait alors qu'au-dehors il faisait très chaud. Il se soigna avec des tisanes de thym, des petits verres de marc chauffé dans lesquels il ajoutait du sucre. Il eut des sommeils hypnotiques, encombrés de visions, ou bien noirs comme les vides de l'univers.

Il guérit. Tout rentra dans l'ordre. Sa première visite fut pour le Maire. Un matin.

Le Docteur trouva le Maire changé. Il avait vieilli d'un coup. Son teint était devenu jaune. Ses cheveux gris avaient viré au blanc. On aurait cru qu'il avait neigé sur lui. Il n'avait jamais été très épais mais il flottait désormais dans ses pantalons et ses chemises. Il avait vendu ses bateaux, fermé ses entrepôts. Il était toujours le Maire, mais le Maire de quoi ?

Il versa le café dans les tasses. Le Docteur entendait la femme du Maire dans la pièce à côté qui préparait le repas. Ils voudraient comme d'habitude le retenir pour déjeuner, mais comme d'habitude il refuserait, et transporterait son gros corps jusque chez lui pour se nourrir d'un peu de pain, d'olives et de solitude.

« Tu sais avec quel rêve je me suis réveillé aujourd'hui ? commença le Docteur pour meubler le silence.

— Comment veux-tu que je le sache ? Je ne suis pas dans ta tête.

— Heureusement pour toi. Tu as de la chance.

— Tu préférerais être dans la mienne ? »

Le Maire avait parlé avec un air de défi triste. Le Docteur répondit par un sourire, triste lui aussi.

« C'était un rêve qui avait tout du cauchemar, mais qui n'était pas effrayant, alors qu'il était encombré d'horreur. Nous avions été appelés toi et moi, je ne sais pas par qui, à nous rendre sur la plage, comme ce funeste matin de jadis. Et nous y arrivions ensemble, tu étais passé me prendre ou l'inverse, je ne sais plus, peu importe. Nous avions tenté de courir, de marcher aussi vite que nous le pouvions. Nous étions hors d'haleine, je fume trop, je suis trop gros, mes pieds me font souffrir, et toi tu n'as plus que la peau sur les os, aucune force. Nous formions un curieux couple de coureurs.

« Le temps était gris. Le ciel très bas. Le *Brau* invisible dans son manteau de nuages, et la mer paraissait irritée, de courtes vagues, nerveuses, qui se giflaient les unes les autres et frappaient les galets. Il y avait de grandes formes échouées, inertes et ballottées, peut-être quatre, cinq ou six, on distinguait mal. Il y avait une sorte de crachin qui empêchait de bien voir et une brume aussi qui venait du volcan, une vapeur qui sentait les relents de cuisine et d'égout.

« Nous n'avions pas besoin de nous parler. Chacun savait à quoi l'autre pensait. Chacun se disait, voilà, ça y est, ça recommence, ça n'aura donc jamais de fin. Et nous avons repris notre marche. Nous nous sommes approchés des formes. Nous avons vu que nous n'avions pas fait d'erreur hélas, qu'il s'agissait une fois de plus de noyés, d'hommes jeunes et noirs, qui ressemblaient comme des frères aux trois

229

premiers noyés, qui étaient aussi jeunes qu'eux, aussi morts qu'eux, aussi paisibles dans leur mort.

« Nous les avons tirés sur le rivage. Qu'avions-nous donc fait pour mériter ça ? Ou que n'avions-nous pas fait ? Nous nous sommes mis à pleurer. Je ne t'avais jamais vu pleurer. Et je ne me souvenais plus que je pouvais pleurer moi-même. Quand nous avons eu fini de les étendre sur les galets, et que nous avons regardé vers la mer, nous avons vu à travers nos larmes qu'émergeaient des flots d'autres corps, et que déjà certains d'entre eux s'échouaient à nos pieds. Alors nous avons recommencé, nous les avons tirés sur la grève. Nous les avons déposés aux côtés des autres.

« Et la mer toujours amenait d'autres noyés. Cela ne finissait pas. Nous étions éreintés. Nous étions en larmes, toujours. Nous avions mal aux bras, au dos. Nous étions à bout de souffle. Nous n'étions pas les seuls. Sans nous en apercevoir, tous les habitants de l'île étaient venus peu à peu et tous tiraient les corps, et tous pleuraient comme nous pleurions. À chaque instant la mer poussait à nos pieds des dizaines de cadavres qui avaient l'âge auquel il devrait être interdit de mourir et tous avaient sur le visage la même expression, grave, qui rentrait dans notre âme pour lui demander des comptes.

« Les heures passaient. Ce n'était pas le matin. Ce n'était pas le soir. Il n'y avait plus de nuit. Il n'y avait que ces corps noyés que la mer ne cessait de charrier vers nous tous, toi, moi et tous les autres de l'île, et nous les traînions sur la plage dont on finissait par ne plus apercevoir aucun galet, la plage devenait un vaste cimetière à ciel ouvert, une chapelle ardente et froide et il y avait nous autres, habitants de l'île, de cette île qui est la seule à être habitée de toutes les îles de l'*Archipel du Chien*, habitée par des hommes misérables, ridicules, vieux, égoïstes, perdus et en larmes. »

Le Maire avait écouté le Docteur sans l'interrompre. Il y eut un long silence. Il porta la tasse de café à ses lèvres et but en faisant une légère grimace tout en ne le quittant pas des yeux. Le bruit de l'horloge dans son dos parut avoir augmenté. Cela lui donna mal au crâne. Il continuait à regarder le Docteur, et se mit soudain à secouer un peu la tête, comme on le fait devant quelqu'un qu'on plaint car on se désole de constater qu'il n'a plus toute sa raison.

« Mais mon pauvre vieux, finit par murmurer le Maire au Docteur qui attendait sa parole avec anxiété, pourquoi dis-tu que c'est un rêve ? »

DU MÊME AUTEUR :

Romans

Meuse l'oubli, Balland, 1999 ; nouvelle édition, Stock, 2006
Le Café de l'Excelsior, avec des photographies de Jean-
   Michel Marchetti, La Dragonne, 1999.
Quelques-uns des cent regrets, Balland, 2000 ; nouvelle
   édition, Stock, 2007.
J'abandonne, Balland, 2000 ; nouvelle édition, Stock, 2006.
Au revoir Monsieur Friant, Éditions Nicolas Chaudun,
   2001 ; Stock, 2016.
Les Âmes grises, Stock, 2003.
La Petite Fille de Monsieur Linh, Stock, 2005.
Le Rapport de Brodeck, Stock, 2007.
L'Enquête, Stock, 2010.
L'Arbre du pays Toraja, Stock, 2016.
Inhumaines, Stock, 2017.

Récits

Le Bruit des trousseaux, Stock, 2002.

Carnets cubains, Librairies Initiales, 2002 (hors commerce).

Nos si proches orients, National Geographic, 2002.

Trois nuits au palais Farnese, Éditions Nicolas Chaudun, 2005.

Ombellifères, sur des dessins d'Émile Gallé, Circa 1924, 2006.

Quartier, avec des photographies de Richard Bato, La Dragonne, 2007.

Chronique monégasque, collection « Folio Senso », Gallimard, 2008.

Petite fabrique des rêves et des réalités, avec des photographies de Karine Arlot, Stock, 2008.

Le Cuvier de Jasnières, avec des photographies de Jean-Bernard Métais, Éditions Nicolas Chaudun, 2010.

Parfums, Stock, 2012.

Autoportrait en miettes, Éditions Nicolas Chaudun, 2012.

Rambétant, avec des photographies de Jean-Charles Wolfarth, Circa 1924, 2014.

Inventaire, avec des photographies d'Arno Paul, Light Motiv, 2015.

Jean-Bark, Stock, 2013.

De quelques amoureux des livres, Finitude, 2015.

Au tout début, Æncrages & Co, 2016.

Higher Ground, avec des photographies de Carl de Keyzer, éd. Lannoo, 2016 (A paru chez Glénat en 2017 sous le titre *Hauteurs / Ararat*).

Le Lieu essentiel, entretiens sur les montagnes avec Fabrice Landreau, Arthaud, 2018.

Nouvelles

Barrio Flores, avec des photographies de Jean-Michel Marchetti, La Dragonne, 2000.

Pour Richard Bato, collection « Visible-Invisible », Æncrages & Co, 2001.

La Mort dans le paysage, avec une composition originale de Nicolas Matula, Æncrages & Co, 2002.

Mirhaela, avec des photographies de Richard Bato, Æncrages & Co, 2002.

Les Petites Mécaniques, Mercure de France, 2003.

Trois petites histoires de jouets, Éditions Virgile, 2004.

Fictions intimes, sur des photographies de Laure Vasconi, Filigrane Éditions, 2006.

Le Monde sans les enfants et autres histoires, illustrations de Pierre Koppe, Stock, 2006.

Théâtre

Parle-moi d'amour, Stock, 2008.

Le Paquet, Stock, 2010.

Poésie

Tomber de rideau, sur des illustrations de Gabriel Belgeonne, Jean Delvaux et Johannes Strugalla, Æncrages & Co, 2009.

Quelques fins du monde, avec des illustrations de Joël Leick, Æncrages & Co, 2009.

Triple A, avec des illustrations de Joël Frémiot, Le Livre pauvre, 2011.

Autopsie du cadavre de François Fillon, avec des illustrations de Chantal Giraud, Le Livre pauvre, 2017.

Le Livre de Poche s'engage pour
l'environnement en réduisant
l'empreinte carbone de ses livres.
Celle de cet exemplaire est de :
200 g éq. CO_2
Rendez-vous sur
www.livredepoche-durable.fr

PAPIER À BASE DE
FIBRES CERTIFIÉES

Composition réalisée par PCA

———————

Achevé d'imprimer en France par
CPI BRODARD & TAUPIN (72200 La Flèche)
en mai 2019
N° d'impression : 3034284
Dépôt légal 1re publication : mars 2019
Édition 03 - mai 2019
LIBRAIRIE GÉNÉRALE FRANÇAISE
21, rue du Montparnasse – 75298 Paris Cedex 06